A-Z BARNSLEY

Key to Maps

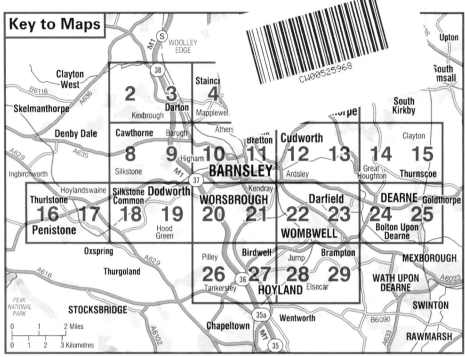

Reference

Motorway	M1	
A Road	A61	
Proposed		
B Road	B6132	
Dual Carriageway		
One-way Street Traffic flow on A roads is indicated by a heavy line on the driver's left.	→	
Restricted Access		
Pedestrianized Road		
Track & Footpath		
Residential Walkway		
Railway	Station / Tunnel / Heritage Sta. / Level Crossing	

Built-up Area	CHURCH ST
Local Authority Boundary	
Postcode Boundary	
Map Continuation	10
Car Park (selected)	P
Church or Chapel	†
Fire Station	■
Hospital	H
House Numbers (A & B Roads only)	114 119
Information Centre	i
National Grid Reference	435

Police Station	▲
Post Office	★
Toilet with facilities for the Disabled	▽
Educational Establishment	
Hospital or Hospice	
Industrial Building	
Leisure or Recreation Facility	
Place of Interest	
Public Building	
Shopping Centre or Market	
Other Selected Buildings	

Scale 1:19,000

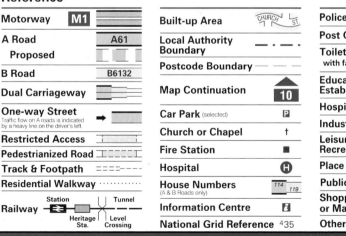

3⅓ inches (8.47 cm) to 1 mile
5.26 cm to 1 kilometre

Copyright of Geographers' A-Z Map Company Limited

Head Office :
Fairfield Road, Borough Green, Sevenoaks, Kent TN15 8PP
Tel: 01732 781000 (General Enquiries & Trade Sales)
Showrooms :
44 Gray's Inn Road, London WC1X 8HX
Tel: 020 7440 9500 (Retail Sales)
www.a-zmaps.co.uk

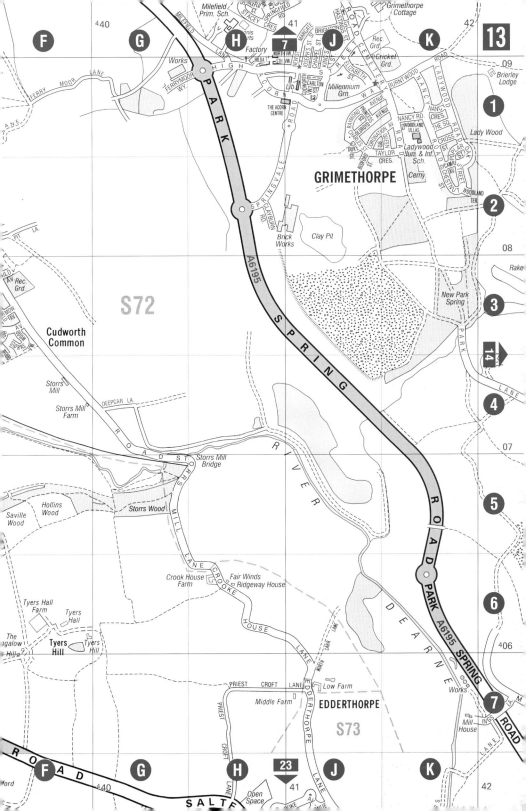

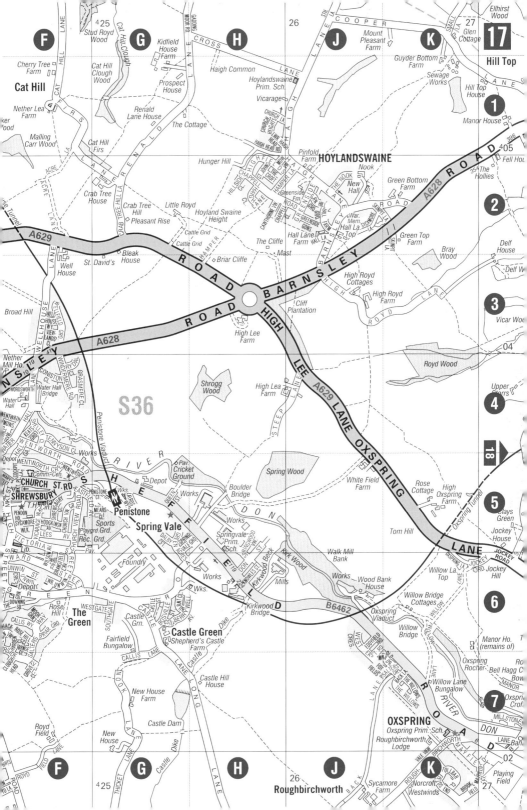

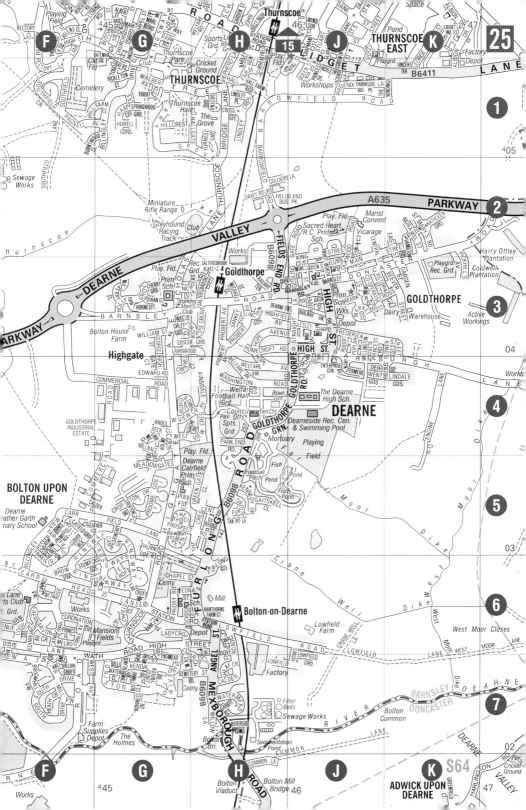

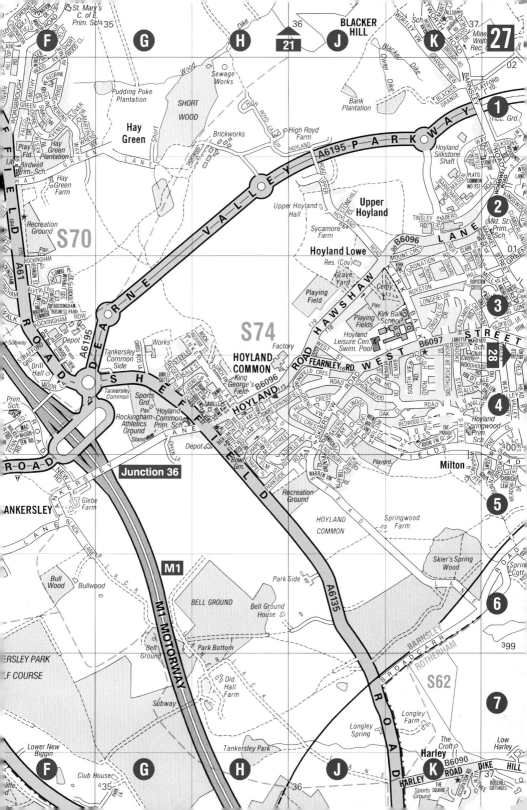

INDEX

Including Streets, Places & Areas, Hospitals & Hospices, Industrial Estates,
Selected Flats & Walkways and Selected Places of Interest.

HOW TO USE THIS INDEX

1. Each street name is followed by its Posttown or Postal Locality and then by its map reference; e.g. Abbots Rd. *B'ley* —4B **12** is in the Barnsley Posttown and is to be found in square 4B on page **12**. The page number being shown in bold type.
   A strict alphabetical order is followed in which Av., Rd., St., etc. (though abbreviated) are read in full and as part of the street name; e.g. Ash Gro. appears after Ashford Ct. but before Ashleigh.

2. Streets and a selection of flats and walkways not shown on the maps, appear in the index in *Italics* with the thoroughfare to which it is connected shown in brackets; e.g. *Blacksmith Sq. Else* —5D **28** *(off Wath Rd.)*

3. Places and areas are shown in the index in **bold type**, the map reference to the actual map square in which the town or area is located and not to the place name; e.g. **Athersley North.** —6F **5**

4. An example of a selected place of interest is **Barnsley F.C.** —6G **11**

5. An example of a hospital or hospice is **BARNSLEY DISTRICT GENERAL HOSPITAL.** —4C **10**

GENERAL ABBREVIATIONS

All : Alley	Ct : Court	Lit : Little	Rd : Road
App : Approach	Cres : Crescent	Lwr : Lower	Shop : Shopping
Arc : Arcade	Cft : Croft	Mc : Mac	S : South
Av : Avenue	Dri : Drive	Mnr : Manor	Sq : Square
Bk : Back	E : East	Mans : Mansions	Sta : Station
Boulevd : Boulevard	Embkmt : Embankment	Mkt : Market	St : Street
Bri : Bridge	Est : Estate	Mdw : Meadow	Ter : Terrace
B'way : Broadway	Fld : Field	M : Mews	Trad : Trading
Bldgs : Buildings	Gdns : Gardens	Mt : Mount	Up : Upper
Bus : Business	Gth : Garth	Mus : Museum	Va : Vale
Cvn : Caravan	Ga : Gate	N : North	Vw : View
Cen : Centre	Gt : Great	Pal : Palace	Vs : Villas
Chu : Church	Grn : Green	Pde : Parade	Vis : Visitors
Chyd : Churchyard	Gro : Grove	Pk : Park	Wlk : Walk
Circ : Circle	Ho : House	Pas : Passage	W : West
Cir : Circus	Ind : Industrial	Pl : Place	Yd : Yard
Clo : Close	Info : Information	Quad : Quadrant	
Comn : Common	Junct : Junction	Res : Residential	
Cotts : Cottages	La : Lane	Ri : Rise	

POSTTOWN AND POSTAL LOCALITY ABBREVIATIONS

Adw D : Adwick-upon-Dearne	*D'fld* : Darfield	*Hoy* : Hoyland	*Silk C* : Silkstone Common
Ard : Ardsley	*Dart* : Darton	*H'swne* : Hoylandswaine	*S Elm* : South Elmsall
Barn : Barnburgh	*Dod* : Dodworth	*Jump* : Jump	*S Hien* : South Hiendley
B'ley : Barnsley	*Else* : Elsecar	*Kil* : Killamarsh	*S'bgh* : Stainborough
Bar G : Barugh Green	*Fric* : Frickley	*King* : Kingston	*S'foot* : Stairfoot
Birdw : Birdwell	*Gawber* : Gawber	*L Hou* : Little Houghton	*Swait* : Swaithe
Bla H : Blacker Hill	*Gold* : Goldthorpe	*Lund* : Lundwood	*Tank* : Tankersley
Bol D : Bolton-upon-Dearne	*Gt Hou* : Great Houghton	*Manv* : Manvers	*T'land* : Thurgoland
Bram : Brampton	*Grim* : Grimethorpe	*M'well* : Mapplewell	*Thurls* : Thurlstone
Bram B : Brampton Bierlow	*Haigh* : Haigh	*Mill G* : Millhouse Green	*Thurn* : Thurnscoe
Bret : Bretton	*Harl* : Harley	*Monk B* : Monk Bretton	*Wath D* : Wath-upon-Dearne
Brie : Brierley	*H'ton* : Harlington	*New C* : New Crofton	*W'wth* : Wentworth
Car : Carlton	*H'fld* : Hemingfield	*Notton* : Notton	*Womb* : Wombwell
Caw : Cawthorne	*Hems* : Hemsworth	*Oxs* : Oxspring	*Wool* : Woolley
C'town : Chapeltown	*Hick* : Hickleton	*P'stne* : Penistone	*Wors* : Worsbrough
Clayt : Clayton	*Hghm* : Higham	*Rawm* : Rawmarsh	*Wors B* : Worsbrough Bridge
Clayt W : Clayton West	*High G* : High Green	*Roy* : Royston	*Wors D* : Worsbrough Dale
Cra M : Crane Moor	*H Hoy* : High Hoyland	*Shaf* : Shafton	*Wort* : Wortley
Cud : Cudworth	*Hood G* : Hood Green	*Silk* : Silkstone	

INDEX

Abbey Farm Vw. *Cud* —2D **12**
Abbey Grn. *Dod* —2A **20**
Abbey Gro. *Lund* —4A **12**
Abbey La. *B'ley* —5A **12**
Abbey Sq. *B'ley* —3A **12**
Abbot La. *Wool* —1B **4**
Abbots Clo. *Cud* —2E **12**
Abbots Rd. *B'ley* —4B **12**
Aberford Gro. *Else* —3D **28**
Acacia Gro. *Shaf* —4E **6**

Acorn Cen., The. *Grim* —1H **13**
Acorn Way. *Grim* —1H **13**
Acre La. *H'swne* —2F **17**
Acre Rd. *Cud* —3E **12**
Adam La. *Silk* —5E **8**
Adkin Royd. *Silk* —7D **8**
Adwick upon Dearne. —7K **25**
Agnes Rd. *B'ley* —7E **10**
Agnes Rd. *Dart* —6J **3**
Agnes Ter. *B'ley* —7E **10**

Ainsdale Av. *Gold* —4H **25**
Ainsdale Clo. *Roy* —1H **5**
Ainsdale Ct. *B'ley* —2K **11**
Ainsdale Rd. *Roy* —1H **5**
Airedale Rd. *Dart* —6G **3**
Aireton Rd. *B'ley* —5E **10**
Alan Rd. *Dart* —6H **3**
Alba Clo. *D'fld* —2G **23**
Albany Clo. *Womb* —2C **22**
Albert Cres. *L Hou* —1B **24**

Albert Rd. *Gold* —3J **25**
Albert St. *B'ley* —6F **11**
Albert St. *Cud* —5E **6**
Albert St. *Thurn* —7G **15**
Albert St. E. *B'ley* —6F **11**
Albion Dri. *Thurn* —7K **15**
Albion Ho. *B'ley* —7F **11**
Albion Rd. *Car* —7J **5**
Albion Ter. *B'ley* —7G **11**
Aldbeck Cft. *Dart* —7J **3**

Aldbury Clo. *B'ley* —1H **11**
Alder Clo. *M'well* —5A **4**
Alder Gro. *D'fld* —4H **23**
Alder M. *Hoy* —4A **28**
Alderson Dri. *B'ley* —1G **11**
Aldham Cotts. *Womb* —3E **22**
Aldham Cres. *Womb* —2C **22**
Aldham Ho. La. *Womb* —4D **22**
Aldham Ind. Est. *Womb* —3E **22**
Alexander Gdns. *Caw* —3C **8**
Alexandra Ter. *B'ley* —7B **12**
Alford Clo. *B'ley* —3B **10**
Alfred St. *Roy* —2A **6**
Alhambra Shop. Cen. *B'ley* —6F **11**
Allatt Clo. *B'ley* —7F **11**
Allendale. *Wors* —3J **21**
Allendale Ct. *Wors* —3J **21**
Allendale Dri. *Hoy* —4A **28**
Allendale Rd. *B'ley* —3E **10**
Allendale Rd. *Dart* —6H **3**
Allendale Rd. *Hoy* —4K **27**
Allott Cres. *Jump* —2C **28**
Allotts Ct. *Birdw* —2E **26**
Allott St. *Else* —4C **28**
Allott St. *Hoy* —4H **27**
All Saints Clo. *Silk* —6E **8**
Allsopps Yd. *Bla H* —7K **21**
Alma St. *B'ley* —6D **10**
Alma St. *Womb* —6F **23**
Almond Av. *Cud* —7D **6**
Almshouses. *W'wth* —7C **28**
Alperton Clo. *B'ley* —2B **12**
Alric Dri. *B'ley* —6A **12**
Alston Clo. *Silk* —7D **8**
Alton Way. *M'well* —5A **4**
Alverley Way. *Birdw* —3F **27**
Amalfi Clo. *D'fld* —3H **23**
Ambleside Gro. *B'ley* —7C **12**
America La. *Rawm & Wath D*
   (in two parts) —7K **29**
Ancona Ri. *D'fld* —2H **23**
Ancote Clo. *Bar G* —6A **10**
Angel St. *Bol D* —7H **25**
Annan Clo. *Bar G* —2K **9**
Anne Cres. *S Hien* —1G **7**
Appleby Clo. *Dart* —5K **3**
Applehaigh Ct. *Notton* —1G **5**
Applehaigh Gro. *Roy* —2G **5**
Applehaigh La. *Notton* —1G **5**
Applehaigh Vw. *Roy* —3G **5**
Applehurst Bank. *B'ley* —7H **11**
Appleton Way. *Wors* —3G **21**
April Clo. *B'ley* —3K **11**
April Dri. *B'ley* —3K **11**
Aqueduct St. *B'ley* —4F **11**
Arcade, The. *B'ley* —6F **11**
Ardsley. —7C 12
Ardsley M. *B'ley* —7C **12**
Ardsley Rd. *Wors* —3J **21**
Armroyd La. *Hoy* —5A **28**
Armyne Gro. *B'ley* —6A **12**
Army Row. *Roy* —2K **5**
Arncliffe Dri. *B'ley* —6B **10**
Arnold Av. *B'ley* —7F **5**
Arthur St. *Wors* —3G **21**
Arundel Gdns. *Roy* —2J **5**
Arundel Dri. *B'ley* —2B **12**
Arundel Vw. *Jump* —2C **28**
Ashberry Clo. *Thurn* —7H **15**
Ashbourne Rd. *B'ley* —7G **5**
Ashby Ct. *B'ley* —7D **10**
Ash Cotts. *Womb* —2D **22**
Ash Dyke Clo. *Dart* —7H **3**
Ashfield Clo. *B'ley* —4C **10**
Ashfield Ct. *S'foot* —7K **11**
Ashford Ct. *Roy* —1J **5**
Ash Gro. *B'ley* —1K **21**
Ashleigh. *Brie* —3J **7**
Ashley Cft. *Roy* —2H **5**
Ash Mt. *Shaf* —2E **6**
Ashover Clo. *Wors* —4G **21**
Ash Rd. *Shaf* —4F **7**

Ash Row. *B'ley* —6J **11**
Ash St. *Womb* —2C **22**
Ashwell Clo. *Shaf* —3E **6**
Ashwood Clo. *Wors* —4H **21**
Ashwood Gro. *Gt Hou* —4B **14**
Aspen Gro. *D'fld* —4J **23**
Aston Dri. *B'ley* —1G **11**
Athersley Cres. *B'ley* —1G **11**
Athersley North. —6F 5
Athersley Rd. *B'ley* —1G **11**
Athersley South. —1G 11
Attlee Cres. *D'fld* —3A **24**
Austwick Clo. *M'well* —4A **4**
Austwick Wlk. *B'ley* —5D **10**
Avenue, The. *Roy* —2A **6**
Avenue, The. *Tank* —3D **26**
Avon Clo. *Hghm* —4J **9**
Avon Clo. *Womb* —7H **23**
Avondale Dri. *B'ley* —5J **5**
Avon St. *B'ley* —6G **11**
Aylesford Clo. *B'ley* —4F **11**
Aysgarth Av. *B'ley* —7D **12**

Back La. *B'ley* —3J **11**
Back La. *Caw* —3C **8**
Back La. *Clayt* —3F **15**
Back La. *L Hou* —1D **24**
Back La. *Oxs* —7J **17**
   (in two parts)
Back La. *P'stne* —5F **17**
Back La. W. *Roy* —2G **5**
Bk. Poplar Ter. *Roy* —2A **6**
Baden St. *Wors* —4H **21**
Badsworth Clo. *Womb* —6H **23**
Bagger Wood Hill. *Hood G*
   —5H **19**
Bagger Wood Rd. *T'land &
   Hood G* —7G **19**
Bainton Dri. *B'ley* —1D **20**
Bakehouse La. *B'ley* —4A **10**
Bakewell Rd. *B'ley* —1G **11**
Bala St. *B'ley* —6F **11**
Balk Farm Ct. *Birdw* —7E **20**
Balk La. *Birdw* —7E **20**
Balkley La. *D'fld* —3A **24**
Balk, The. *M'well* —4C **4**
Ballfield Av. *Dart* —6G **3**
Ballfield La. *Dart* —6G **3**
Balmoral Clo. *Thurls* —4C **16**
Bamford Av. *B'ley* —1G **11**
Bamford Clo. *Dod* —1J **19**
Bank And Av. *Wors* —3J **21**
Bank End Clo. *Bol D* —6G **25**
Bank End La. *Clayt W & H Hoy*
   —6A **2**
Bank End Rd. *Wors* —3H **21**
Bank Ho. La. *Thurls* —6B **16**
Bank St. *B'ley* —1F **21**
Bank St. *Cud* —7D **6**
Bank St. *Hoy* —4K **27**
Bank St. *S'foot* —7A **12**
Bar Av. *M'well* —6D **4**
Barber St. *Hoy* —3A **28**
Barcroft Flatt. *B'ley* —3A **10**
Barden Dri. *B'ley* —4B **10**
Barewell Hill. *Brie* —2J **7**
   (in two parts)
Barfield Rd. *Hoy* —3A **28**
Bari Clo. *D'fld* —2G **23**
Bark Ho. La. *Caw* —3A **8**
Bark Meadows. *Dod* —1A **20**
Barkston Rd. *B'ley* —7J **5**
Bar La. *M'well* —6D **4**
Barlborough Rd. *Womb* —7G **23**
Barley Vw. *Thurn* —1H **25**
Barnabas Wlk. *B'ley* —4F **11**
Barnburgh La. *Gold & Barn*
   —4J **25**
Barnfold Pl. *Shaf* —4E **6**
Barn Owl Clo. *L Hou* —2D **24**
Barnside La. *P'stne* —6F **17**

Barnsley. —6F 11
Barnsley Boundary Wlk. *Clayt*
   —4G **15**
Barnsley Bus. & Innovation Cen.
   B'ley —3B **10**
Barnsley Crematorium. *B'ley*
   —1C **22**
**BARNSLEY DISTRICT GENERAL
   HOSPITAL. —4C 10**
Barnsley F.C. —6G **11**
Barnsley Golf Course. —3D **4**
BARNSLEY HOSPICE. —4A 10
Barnsley Rd. *Brie & Hems* —4G **7**
Barnsley Rd. *Cud* —1C **12**
Barnsley Rd. *D'fld* —1H **23**
Barnsley Rd. *Dart & Bar G* —6J **3**
Barnsley Rd. *Dod* —1J **19**
Barnsley Rd. *Gold* —3G **25**
Barnsley Rd. *Hoy* —1K **27**
Barnsley Rd. *P'stne & H'swne*
   —4E **16**
Barnsley Rd. *Silk* —1B **18**
   (in two parts)
Barnsley Rd. *Wath D* —1K **29**
Barnsley Rd. *Womb* —3D **22**
   (in three parts)
Barnsley Rd. *Wool* —1C **4**
Barnwell Cres. *Womb* —3D **22**
Barrow. —7B 28
Barrowfield Gate. —7C 28
Barrow Fld. La. *W'wth* —7C **28**
Barrowfield Rd. *Hoy* —2K **27**
Barrowfield Rd. *Thurn* —4H **15**
Barrow Hill. *W'wth* —7A **28**
Barrow, The. *W'wth* —7B **28**
Bartholomew St. *Womb* —5E **22**
Barugh Green. —2J 9
Barugh Grn. Rd. *Bar G & B'ley*
   —2J **9**
Barugh La. *Bar G* —2J **9**
Basildon Rd. *Thurn* —6G **15**
Baslow Cres. *Dod* —1J **19**
Baslow Rd. *B'ley* —7H **5**
Bateman Clo. *Cud* —4C **6**
Bateman Sq. *Thurn* —7G **15**
Batty Av. *Cud* —1C **12**
Baycliff Clo. *B'ley* —1K **11**
Bayford Way. *Womb* —5H **23**
Beacon Clo. *Silk C* —2E **18**
Beacon Ct. *Silk C* —3E **18**
Beacon Hill. *Silk C* —2E **18**
Beaconsfield St. *B'ley* —7E **10**
Beacon Vw. *Else* —4C **28**
Beaulieu Clo. *M'well* —6C **4**
Beaulieu Vw. *M'well* —6C **4**
Beaumont Av. *B'ley* —6B **10**
Beaumont Dri. *Bret & Haigh*
   (in two parts) —1E **2**
Beaumont Rd. *Dart* —7G **3**
Beaumont St. *Hoy* —4H **27**
Beck Cft. *Hoy* —5J **27**
Beckett Hospital Ter. *B'ley* —7F **11**
Beckett St. *B'ley* —5H **11**
Beckfield Gro. *Bol D* —5F **25**
Becknoll Rd. *Bram* —1J **29**
Beckside. *Caw* —3C **8**
Bedale Wlk. *Shaf* —3E **6**
Bedford St. *B'ley* —1F **21**
Bedford St. *Grim* —2J **13**
Bedford Ter. *B'ley* —2G **11**
Beech Av. *Cud* —6D **6**
Beech Av. *Silk C* —3E **18**
Beech Clo. *Brie* —3J **7**
Beech Clo. *H'fld* —1E **28**
Beech Ct. *D'fld* —3J **23**
Beeches, The. *H'fld* —2F **29**
Beechfield Clo. *Bol D* —6G **25**
Beech Gro. *B'ley* —1D **20**
Beech Ho. Rd. *H'fld* —1F **29**
Beech Rd. *Shaf* —4F **7**
Beech St. *B'ley* —7F **11**

Beeston Sq. *B'ley* —6F **5**
Beever La. *B'ley* —4A **10**
Beever St. *Gold* —3K **25**
Beevor Ct. *B'ley* —6G **11**
Beevor St. *B'ley* —6H **11**
Belgrave Rd. *B'ley* —6G **11**
Bell Bank Vw. *Wors* —3F **21**
Bellbank Way. *B'ley* —6F **5**
Bellbrooke Av. *D'fld* —1H **23**
Bellbrooke Pl. *D'fld* —1H **23**
Belle Green. —7E 6
Belle Grn. Clo. *Cud* —7E **6**
Belle Grn. Gdns. *Cud* —7E **6**
Belle Grn. La. *Cud* —7E **6**
Bellmer Cft. *Birdw* —3F **27**
Bellwood Cres. *Hoy* —4J **27**
Belmont. *Cud* —3E **12**
Belmont Av. *B'ley* —2H **11**
Belmont Cres. *L Hou* —1C **24**
Belridge Clo. *B'ley* —3B **10**
Belvedere Clo. *Shaf* —4E **6**
Belvedere Dri. *D'fld* —1H **23**
Ben Bank Rd. *Silk C & Dod*
   —3E **18**
Bence Clo. *Dart* —7J **3**
Bence Farm Ct. *Dart* —7J **3**
Bence La. *Dart* —6G **3**
Bentcliff Hill La. *Caw* —5B **8**
Bentham Dri. *B'ley* —3K **11**
Bentham Way. *M'well* —4A **4**
Bentley Clo. *B'ley* —2A **12**
Bent St. *P'stne* —4E **16**
Berkeley Cft. *Roy* —2H **5**
Berkley Clo. *Wors* —3F **21**
Berneslai Clo. *B'ley* —5E **10**
Berrydale. *Wors* —3H **21**
Berrywell Av. *P'stne* —6G **17**
Bethel St. *Hoy* —3B **28**
Bevan Clo. *Else* —3C **28**
Beverley Av. *Wors* —2F **21**
Beverley Clo. *B'ley* —7E **4**
Bewdley Ct. *Roy* —2K **5**
Bierlow Clo. *Bram* —1J **29**
Billingley. —2D 24
Billingley Dri. *Thurn* —1G **25**
Billingley Grn. La. *L Hou* —2D **24**
Billingley La. *Thurn* —1D **24**
Billingley Vw. *Bol D* —6F **25**
Bingley Ct. *B'ley* —5D **10**
Bingley St. *B'ley* —5D **10**
Biram Wlk. *Else* —5D **28**
   (off Forge La.)
Birchfield Cres. *Dod* —7A **10**
Birchfield Wlk. *B'ley* —5B **10**
Birch Rd. *B'ley* —1K **21**
Bird Av. *Womb* —6B **22**
Bird La. *Oxs* —6B **18**
Birdwell. —2F 27
Birdwell Comn. *Birdw* —3F **27**
Birdwell Rd. *Dod* —2B **20**
Birk Av. *B'ley* —1J **21**
Birk Cres. *B'ley* —1J **21**
Birkdale Clo. *Cud* —6E **6**
Birkdale Rd. *Roy* —1H **5**
Birk Grn. *B'ley* —1K **21**
Birk Ho. La. *B'ley* —1K **21**
Birk Rd. *B'ley* —1J **21**
Birks Av. *Mill G* —5A **16**
Birks Cotts. *Mill G* —5A **16**
Birks La. *Mill G* —5A **16**
Birk Ter. *B'ley* —1J **21**
Birkwood Av. *Cud* —3F **12**
Birthwaite Rd. *Dart* —5F **3**
Bishops Way. *B'ley* —4J **11**
Bisley Clo. *Roy* —3A **6**
Bismarck St. *B'ley* —1F **21**
Blackburn La. *B'ley* —5D **10**
Blackburn La. *Wors* —3G **21**
Blackburn St. *Wors* —3G **21**
Blacker Grange. *Bla H* —1K **27**
Blackergreen La. *Silk* —1D **18**
Blacker Hill. —7K 21

Interchange Way. *B'ley* —5F **11**
Ironworks Pl. Else —5D 28
(off Forge La.)
Ironworks Row. Else —5D 28
(off Forge La.)
Issott St. *B'ley* —4F **11**
Ivy Cotts. *Roy* —2K **5**
Ivy Ct. *Cud* —1D **12**
Ivy Farm Clo. *B'ley* —5K **5**
Ivy Ter. *B'ley* —7G **11**

Jack Clo. Orchard. *Roy* —2J **5**
Jackson St. *Cud* —1C **12**
Jackson St. *Gold* —3J **25**
Jacobs Hall Ct. *Dart* —6G **3**
Jacques Pl. *B'ley* —5K **11**
James St. *B'ley* —5F **11**
James St. *S Hien* —1H **7**
James St. *Wors D* —3J **21**
Janet's Wlk. *Womb* —4C **22**
Jardine St. *Womb* —6F **23**
Jebb La. *Haigh* —3B **2**
Jenny La. *Cud* —1D **12**
Jermyn Cft. *Dod* —1K **19**
Jesmond Av. *Roy* —3H **5**
Joan Royd La. *P'stne* —7D **16**
Joan's Wlk. *Jump* —2B **28**
Jockey Rd. *Oxs* —6K **17**
John Hartop Pl. Else —5D 28
(off Forge La.)
Johnson St. *B'ley* —5D **10**
John St. *B'ley* —7F **11**
John St. *Gt Hou* —6C **14**
John St. *L Hou* —1C **24**
John St. *Thurn* —7H **15**
John St. *Womb* —5E **22**
John St. *Wors* —4G **21**
Jones Av. *Womb* —5D **22**
Joseph Ct. *B'ley* —7F **11**
Joseph St. *B'ley* —7F **11**
Joseph St. *Grim* —1J **13**
Jubilee Cotts. *Hoy* —4G **27**
Jubilee Gdns. *Roy* —2K **5**
Jubilee Ter. *B'ley* —7H **11**
Judy Row. *B'ley* —3J **11**
Jump. —2C 28
Junction Clo. *Womb* —7J **23**
Junction St. *B'ley* —7H **11**
Junction St. *Womb* —7H **23**
Junction Ter. *B'ley* —7H **11**

Kathleen Gro. *Gold* —2K **25**
Kathleen St. *Gold* —2K **25**
Kaye St. *B'ley* —5F **11**
Kay's Ter. *B'ley* —1A **22**
Kay St. *Hoy* —4H **27**
Keats Gro. *P'stne* —4F **17**
Keeper La. *Notton* —1D **4**
Keir St. *B'ley* —5D **10**
Keir Ter. *B'ley* —5D **10**
Kelly St. *Gold* —3J **25**
Kelsey Ter. *B'ley* —1F **21**
Kelvin Gro. *Womb* —6G **23**
Kendal Cres. *Wors* —4G **21**
Kendal Dri. *Bol D* —7G **25**
Kendal Grn. *Wors* —4E **20**
Kendal Grn. Rd. *Wors* —4E **20**
Kendal Gro. *B'ley* —7C **12**
Kendal Va. *Wors B* —4G **21**
Kendray. —1J 21
KENDRAY HOSPITAL. —7J **11**
Kendray St. *B'ley* —6F **11**
Kennedy Clo. *Mill G* —5A **16**
Kennedy Dri. *Gold* —5H **25**
Kensington Av. *Thurls* —4C **16**
Kensington Rd. *B'ley* —4D **10**
Kent Clo. *Roy* —2J **5**
Kenwood Clo. *B'ley* —7K **11**
Kenworthy Rd. *B'ley* —1F **21**
KERESFORTH CENTRE. —7C **10**

Keresforth Clo. *B'ley* —7C **10**
Keresforth Ct. *B'ley* —7C **10**
Keresforth Hall Dri. *B'ley* —1C **20**
Keresforth Hall Rd. *B'ley* —1D **20**
(in two parts)
Keresforth Rd. *Dod* —2K **19**
Kestrel Ri. *Birdw* —1F **27**
Keswick Dri. *Dart* —3A **4**
Keswick Wlk. *B'ley* —7C **12**
Ket Hill La. *Brie* —3H **7**
Ketton Wlk. *B'ley* —4C **10**
Kexbrough. —6F 3
Kexbrough Dri. *Dart* —6H **3**
Key Av. *Hoy* —3B **28**
Kibroyd Dri. *Dart* —7G **3**
Kilnsea Wlk. B'ley —6E 10
(off Fitzwilliam St.)
Kine Moor La. *Silk* —2B **18**
King Edwards Gdns. *B'ley* —7E **10**
King Edward St. *B'ley* —1K **11**
King George Ter. *B'ley* —7H **11**
Kings Cft. *Wors D* —4J **21**
Kingsland Ct. *Roy* —2K **5**
Kingsley Clo. *B'ley* —1G **11**
King's Rd. *Cud* —5E **6**
Kings Rd. *Womb* —6G **23**
King's Stocks. *L Hou* —2C **24**
King's St. *Grim* —1J **13**
Kingstone. —1D 20
Kingstone Pl. *B'ley* —1D **20**
King St. *B'ley* —7F **11**
King St. *Gold* —3J **25**
King St. *Hoy* —3A **28**
King St. *Thurn* —1J **25**
Kingsway. *M'well* —5A **4**
Kingsway. *Thurn* —7G **15**
Kingsway. *Womb* —6F **23**
Kingsway Gro. *Thurn* —7G **15**
Kingswood Cres. *Hoy* —2A **28**
Kingwell Cres. *Wors* —2F **21**
Kingwell Cft. *Wors* —3G **21**
Kingwell M. *Wors* —3G **21**
Kingwell Rd. *Wors* —3F **21**
Kirk Balk. *Hoy* —3K **27**
Kirkby Av. *B'ley* —6G **5**
Kirk Cross Cres. *Roy* —4J **5**
Kirkfield Clo. *Caw* —3D **8**
Kirkfield Way. *Roy* —4J **5**
Kirkgate La. *S Hien* —1D **6**
Kirkham Clo. *B'ley* —4J **11**
Kirkham Pl. *B'ley* —7K **5**
Kirkhill Bank. *P'stne* —7E **16**
Kirkstall Rd. *B'ley* —7E **4**
Kirk Vw. *Hoy* —3K **27**
Kirk Way. *B'ley* —4K **11**
Kitchen Rd. *Womb* —5D **22**
Kitson Dri. *B'ley* —4K **11**
Knabbs La. *Silk C* —3E **18**
Knollbeck Av. *Bram* —1J **29**
Knoll Beck Clo. *Gold* —4G **25**
Knollbeck Cres. *Bram* —1J **29**
Knollbeck La. *Bram* —1J **29**
Knowle Rd. *Wors* —2H **21**
Knowles St. *P'stne* —6H **17**
Knowsley St. *B'ley* —6D **10**

Laburnum Gro. *Wors* —4H **21**
Laceby Clo. *B'ley* —1C **20**
Ladock Clo. *B'ley* —4H **11**
Ladycroft. *Bol D* —6G **25**
Lady Cft. La. *H'fld* —2E **28**
Ladyroyd Cft. *Cud* —1D **12**
Ladywood Rd. *Grim* —1K **13**
Lairds Way. *P'stne* —5G **17**
Laithe Cft. *Dod* —1K **19**
Laithes Clo. *B'ley* —7H **5**
Laithes Cres. *B'ley* —7F **5**
Laithes La. *B'ley* —7F **5**
Lakeland Clo. *Cud* —2D **12**
Lakeside Ct. *Bram* —2H **29**

Lambecroft. *B'ley* —5J **5**
Lambe Flatt. *Dart* —6G **3**
Lambert Fold. *Dod* —1A **20**
Lambert Rd. *B'ley* —1J **21**
Lambert Wlk. *B'ley* —7J **11**
Lamb La. *B'ley* —2J **11**
Lambra Rd. *B'ley* —6F **11**
Lambs Flat La. *Dart* —7G **3**
Lancaster Ga. *B'ley* —6E **10**
Lancaster St. *B'ley* —6D **10**
Lancaster St. *Thurn* —6J **15**
Lane Cotts. *Roy* —3J **5**
Lane End M. *Thurn* —7F **15**
Lane Head Rd. *M'well* —4A **4**
Lane Head Ri. *M'well* —4A **4**
Lane Head Rd. *Caw* —4A **8**
Lane Royds Pk. Golf Course.
—4A **26**
Lane, The. *Roy* —2J **5**
Lang Av. *B'ley* —5A **12**
Langcliff Clo. *M'well* —4A **4**
Lang Cres. *B'ley* —5A **12**
Langdale Rd. *B'ley* —6G **11**
Langdale Rd. *Bar G* —2J **9**
Langdon Wlk. *B'ley* —5E **10**
Langford Clo. *Dod* —1A **20**
Langsett Ct. *B'ley* —7E **4**
Langsett Rd. *B'ley* —7E **4**
Lansdowne Clo. *Thurn* —7G **15**
Lansdowne Cres. *Dart* —7H **3**
Lanyon Way. *B'ley* —4H **11**
Larch Clo. *D'fld* —3J **23**
Larchfield Pl. *B'ley* —2K **11**
Larch Pl. *B'ley* —2H **21**
Laurel Av. *B'ley* —1K **21**
Lawndale Fold. *Dart* —5K **3**
Lawnwood Dri. *Gold* —3G **25**
Lawrence Clo. *Hghm* —3J **9**
Laxton Rd. *B'ley* —6F **5**
Lea Brook. —6G 29
Lea Brook La. *W'wth* —6G **29**
Leadley St. *Gold* —3J **25**
Leapings La. *Thurls* —5B **16**
(in two parts)
Lea Rd. *B'ley* —7H **5**
Ledbury Rd. *B'ley* —1F **11**
Ledsham Ct. *Else* —2D **28**
Lee La. *Mill G* —5A **16**
Lee La. *Roy* —4D **4**
Lees Av. *P'stne* —5F **17**
Lees, The. *Ard* —7D **12**
Leewood Clo. *Bram* —3H **29**
Leighton Clo. *B'ley* —4F **11**
Leopold St. *B'ley* —7D **10**
Lepton Gdns. *B'ley* —2K **21**
Lesley Rd. *Gold* —3J **25**
Leslie Rd. *B'ley* —7K **11**
Lesmond Cres. *L Hou* —2C **24**
Lewdendale. *Wors* —4G **21**
Lewden Farm La. *Wors D* —4K **21**
Lewden Gth. *Wors D* —4K **21**
Lewis Rd. *B'ley* —3A **12**
Ley End. *Wors* —4F **21**
Leylands, The. *B'ley* —3B **10**
Lidgate La. *Shaf* —3D **6**
Lidget La. *Thurn & Hick* —1J **25**
Lidget La. Ind. Est. *Thurn* —7K **15**
Lidgett La. *Tank* —4D **26**
Lidgett Way. *Roy* —2J **5**
Lifford Pl. *Else* —2D **28**
Lilac Cres. *Hoy* —2A **28**
Lilacs, The. *Roy* —2A **6**
Lilydene Av. *Grim* —7H **7**
Lily Ter. *Jump* —2B **28**
Lime Gro. *B'ley* —5J **5**
Limes Av. *B'ley* —5J **5**
Limes Av. *M'well* —4C **4**
Limes Clo. *M'well* —4C **4**
Limesway. *B'ley* —4B **10**
Lime Tree Clo. *Cud* —7D **6**
Linburn Clo. *Roy* —2G **5**
Linby Rd. *B'ley* —6F **5**

Lincoln Gdns. *Gold* —3H **25**
Lindale Gdns. *Gold* —4K **25**
Lindales, The. *B'ley* —5C **10**
Linden Rd. *Wath D* —3K **29**
Lindhurst Lodge. *B'ley* —6F **5**
Lindhurst Rd. *B'ley* —6F **5**
Lindley Cres. *Thurn* —1H **25**
Lindrick Clo. *Cud* —5E **6**
Lingamore Leys. *Thurn* —6H **15**
Lingard Clo. *B'ley* —5D **10**
Lingard St. *B'ley* —4D **10**
Lingwaite. *Dod* —1A **20**
Links Vw. *M'well* —4B **4**
Link, The. *Dod* —2A **20**
Linthwaite La. *Else & W'wth*
—5E **28**
Linton Clo. *B'ley* —7B **10**
Lister Row. *Gt Hou* —4B **14**
Litherop La. *Clayt W* —1A **2**
Litherop Rd. *H Hoy* —2B **2**
Little Fld. La. *Womb* —5F **23**
(in two parts)
Little Houghton. —1A 24
Lit. Houghton La. *D'fld* —2K **23**
Little La. *H Hoy* —5A **2**
Little Leeds. *Hoy* —3A **28**
Lit. New Clo. *Gawber* —4B **10**
Little Westfields. *Roy* —2G **5**
Littleworth La. *B'ley* —3K **11**
Litton Clo. *Shaf* —3E **6**
Litton Wlk. *B'ley* —5D **10**
Litton Wlk. *Shaf* —3E **6**
Livingstone Cres. *B'ley* —2H **11**
Livingstone Ter. *B'ley* —7E **10**
Lobwood. *Wors* —3G **21**
Lobwood La. *Wors* —3H **21**
Lockeaflash Cres. *B'ley* —1K **21**
Locke Av. *B'ley* —7E **10**
Locke Av. *Wors* —2F **21**
Locke Rd. *Dod* —2A **20**
Locke St. *B'ley* —1D **20**
Locksley Gdns. *Birdw* —3F **27**
Lockwood La. *B'ley* —1F **21**
Lockwood La. *Thurn* —1J **25**
Lockwood Rd. *Gold* —3G **25**
Lombard Clo. *B'ley* —4E **10**
Lombard Cres. *D'fld* —3G **23**
Long Acre. *B'ley* —5H **5**
Long Balk. *B'ley* —2J **9**
Longcar La. *B'ley* —7D **10**
Long Causeway. *B'ley* —3J **11**
Long Cliffe Clo. *Shaf* —4E **6**
Long Cft. *M'well* —5B **4**
Longfield Clo. *Womb* —4D **22**
Longfield Dri. *M'well* —5B **4**
Longfields Cres. *Hoy* —3K **27**
Longlands Dri. *M'well* —6B **4**
Long La. *Kil* —7H **17**
Long La. *P'stne* —3D **16**
(Anna La.)
Long La. *P'stne* —7H **17**
(Castle La.)
Longley Clo. *Bar G* —3J **9**
Longley St. *Bar G* —3J **9**
Longman Rd. *B'ley* —4E **10**
Longridge Rd. *B'ley* —1K **11**
Longside Way. *B'ley* —5A **10**
Longsight Rd. *M'well* —5A **4**
Longspring Gro. *Tank* —4E **26**
Lonsdale Av. *B'ley* —7D **12**
Lord St. *B'ley* —5J **11**
Loretta Cotts. *Hoy* —3K **27**
Lorne Rd. *Thurn* —7F **15**
Loscoe Gro. *Gold* —3G **25**
Low Barugh. —1K 9
Low Cft. *Roy* —2K **5**
Low Cronkhill La. *B'ley* —4A **6**
Low Cudworth. *Cud* —2D **12**
Low Cudworth Grn. *Cud* —2D **12**
Lowe La. *S'bgh* —5J **19**
Lwr. Castlereagh St. *B'ley* —6E **10**
Lwr. Collier Fold. *Caw* —2D **8**

Lwr. Haigh Head—Mount Pleasant

Lwr. Haigh Head. *H'swne* —1H **17**
Lwr. High Royds. *Dart* —6A **4**
Lower Lewden. —4K 21
Lwr. Mill Clo. *Gold* —4G **25**
Lower Pilley. —4E 26
Lwr. Thomas St. *B'ley* —6E **10**
Lwr. Unwin St. *P'stne* —6F **17**
Lowfield Gro. *Bol D* —7J **25**
Lowfield La. *Bol D* —6J **25**
Lowfield Meadows. *Bol D* —7H **25**
Lowfield Rd. *Bol D* —6H **25**
Low Grange Rd. *Thurn* —7G **15**
Low Grange Sq. *Thurn* —7G **15**
Low Laithes. —2E 22
Low Laithes Vw. *Womb* —4D **22**
Lowlands Clo. *B'ley* —2K **11**
Low Pasture Clo. *Dod* —1A **20**
Low Rd. *Oxs* —7B **18**
Low Row. *Dart* —3J **3**
Low St. *Dod* —2B **20**
Low Valley. —4H 23
Low Valley Ind. Est. *Womb*
                        —4H **23**
Low Vw. *Dod* —1J **19**
Loxley Av. *Womb* —6E **22**
Loxley Rd. *B'ley* —4B **12**
Lugano Gro. *D'fld* —2G **23**
Lulworth Clo. *B'ley* —7H **11**
Lund Av. *B'ley* —4B **12**
Lund Clo. *B'ley* —4B **12**
Lund Cres. *B'ley* —4B **12**
Lundhill Clo. *Womb* —7G **23**
Lundhill Farm M. *H'fld* —1F **29**
Lundhill Gro. *Womb* —7G **23**
Lund Hill La. *Roy* —2B **6**
Lundhill Rd. *Womb* —1G **29**
Lundwood. —4A 12
Lunn Rd. *Cud* —1D **12**
Lymegate. *Bram* —3H **29**
Lynham Av. *Birdw* —3F **27**
Lynthwaite Clo. *Bram* —2H **29**
Lynton Pl. *Dart* —6N **3**
Lynwood Dri. *B'ley* —5J **5**
Lytham Av. *B'ley* —1K **11**
Lyttleton Cres. *P'stne* —7E **16**

Mackey Cres. *Brie* —3G **7**
Mackey La. *Brie* —3G **7**
McLintock Way. *B'ley* —6D **10**
Macnaughten Rd. *Tank* —4F **27**
Macro Rd. *Womb* —6G **23**
Maggot La. *Oxs* —5B **18**
Magnolia Clo. *Shaf* —4F **7**
Main St. *Gold* —3J **25**
Main St. *S Hien* —1F **7**
Main St. *W'wth* —7C **28**
Main St. *Womb* —5E **22**
Malcolm Clo. *B'ley* —7K **11**
Malham Clo. *Shaf* —3E **6**
Malham Ct. *B'ley* —5D **10**
Malincroft. *M'well* —6B **4**
Mallory Way. *Cud* —7E **6**
Maltas Ct. *Wors* —3J **21**
Malthouse Rd. *B'ley* —6F **11**
Maltings, The. *P'stne* —6E **16**
        (off Mortimer Rd.)
Malt Kiln Row. *Caw* —2C **8**
        (off Hill Top)
Malton Pl. *B'ley* —7E **4**
Malvern Clo. *B'ley* —5B **10**
Manchester Rd. *Mill G & Thurls*
                        —5A **16**
Manor Av. *Gold* —3J **25**
Manor Clo. *Bram B* —2K **29**
Manor Ct. *Roy* —3G **5**
Manor Cres. *Grim* —6J **7**
Manor Cft. *S Hien* —1F **7**
Manor Dri. *Roy* —3H **5**
Manor Dri. *S Hien* —1F **7**
Manor End. *Wors* —3F **21**
Mnr. Farm Clo. *B'ley* —6K **5**

Mnr. Farm Ct. *B'ley* —7D **12**
        (off Doncaster Rd.)
Mnr. Farm Ct. *Cud* —1D **12**
Manor Fields. *Gt Hou* —5C **14**
Manor Gdns. *B'ley* —7D **12**
Manor Gdns. *Shaf* —4E **6**
Manor Gro. *Grim* —6H **7**
Manor Gro. *Roy* —3H **5**
Manor Ho. Clo. *Hoy* —3A **28**
Manor La. *Oxs* —7A **18**
Mnr. Occupation Rd. *Roy* —2H **5**
Manor Pk. *Silk* —1D **18**
Manor Pl. *Hoy* —3B **28**
Manor Rd. *Bram B* —2J **29**
Manor Rd. *Cud* —1C **12**
Manor Rd. *Thurn* —7G **15**
Manor Sq. *Thurn* —7G **15**
Manor St. *B'ley* —6K **5**
Manor Vw. *Shaf* —4E **6**
Manor Way. *Hoy* —3A **28**
Mansfield Rd. *B'ley* —6F **5**
Manvers Way. *Manv* —7A **24**
Maori Av. *Bol D* —6E **24**
Maple Clo. *B'ley* —1H **21**
Maple Ct. *Tank* —6D **26**
Maple Rd. *M'well* —5A **4**
Maple Rd. *Tank* —6D **26**
Mapplewell. —5C 4
Mapplewell Dri. *M'well* —6C **4**
Maran Av. *D'fld* —3A **24**
Margaret Clo. *D'fld* —3H **23**
Margaret Rd. *D'fld* —3H **23**
Margaret Rd. *Womb* —6G **23**
Margate St. *Grim* —7J **7**
Marina Ri. *D'fld* —3G **23**
Market Clo. *B'ley* —6G **11**
Market Hill. *B'ley* —6E **10**
Market Pde. *B'ley* —6F **11**
Market Pl. *Cud* —7D **6**
Market Pl. *Else* —4C **28**
Market Pl. *Gold* —3J **25**
Market Pl. *P'stne* —5F **17**
Market Pl. *Womb* —6G **23**
Market Sq. *Gold* —3J **25**
Market St. *B'ley* —6E **10**
Market St. *Cud* —7D **6**
Market St. *Gold* —7G **15**
        (Church St.)
Market St. *Gold* —3J **25**
        (Doncaster Rd.)
Market St. *Hoy* —2A **28**
Market St. *P'stne* —5F **17**
Mark St. *B'ley* —6E **10**
Marlborough Clo. *Thurn* —7G **15**
Marlborough Ter. *B'ley* —7E **10**
Marsala Wlk. *D'fld* —2H **23**
Marshfield. *Birdw* —7F **21**
Marsh St. *Womb* —5G **23**
Marston Cres. *B'ley* —1F **11**
Martin Clo. *Birdw* —1F **27**
Martin Cft. *Silk* —7D **8**
Martin La. *Bla H* —7K **21**
Martin's Rd. *B'ley* —4B **12**
Mary Ann Clo. *B'ley* —5K **11**
Mary La. *D'fld* —3K **23**
Mary's Pl. *B'ley* —5C **10**
Mary St. *Bar G* —3H **9**
Mary St. *L Hou* —1C **24**
Mason St. *Gold* —3J **25**
Masons Way. *B'ley* —2J **21**
Mason Way. *Hoy* —2K **27**
Matlock Rd. *B'ley* —1H **11**
Mauds Ter. *B'ley* —2J **11**
Mawfield Rd. *B'ley* —3K **9**
Mayberry Dri. *Silk* —7D **8**
May Day Grn. *B'ley* —6F **11**
May Day Grn. Arc. *B'ley* —6F **11**
        (off May Day Grn.)
Mayfield. *Oxs* —7K **17**
Mayfield Ct. *Oxs* —7K **17**
Mayfield Cres. *Wors* —2E **20**

May Ter. *B'ley* —6C **10**
Maythorne Clo. *M'well* —6C **4**
Maytree Clo. *D'fld* —4J **23**
Meadow Av. *Cud* —3F **13**
Meadow Clo. *Hems* —1K **7**
Meadow Ct. *Roy* —3K **5**
Meadow Cres. *Grim* —7H **7**
Meadow Cres. *Roy* —2K **5**
Meadow Cft. *Shaf* —3E **6**
Meadow Dri. *B'ley* —3K **11**
Meadow Dri. *D'fld* —3K **23**
Meadowfield Dri. *Hoy* —5A **28**
Meadowgate. *Bram* —3H **29**
Meadow Ga. *Womb* —7J **23**
Meadowgates. *Bol D* —5G **25**
Meadowland Ri. *Cud* —2E **12**
Meadow La. *Dart* —7J **3**
Meadow Rd. *Roy* —3K **5**
Meadow St. *B'ley* —5F **11**
Meadow Vw. *H'swne* —2H **17**
Meadow Vw. *Wors* —3G **21**
Mdw. View Clo. *Hoy* —4K **27**
Meadstead Dri. *Roy* —3H **5**
Mears Clo. *P'stne* —5G **17**
Measborough Dike. —1H 21
Medina Clo. *Bar G* —2J **9**
Medway Clo. *Bar G* —2K **9**
Medway Pl. *Womb* —7H **23**
Melbourne Av. *Bol D* —6F **25**
Melford Clo. *M'well* —5B **4**
Mell Av. *Hoy* —3A **28**
Mellor Rd. *Womb* —6F **23**
Mellwood Gro. *H'fld* —1E **28**
Melrose Way. *B'ley* —5K **11**
Melton Av. *Bram* —1K **29**
Melton Av. *Gold* —3J **25**
Melton Grn. *Wath D* —3K **29**
Melton High St. *Wath D* —3K **29**
Melton St. *Bram* —1K **29**
Melton Ter. *Wors* —3J **21**
Melton Way. *Roy* —1J **5**
Melville St. *Womb* —5F **23**
Melvinia Cres. *B'ley* —3D **10**
Mendip Clo. *B'ley* —5B **10**
Merlin Clo. *Birdw* —1F **27**
Merrill Rd. *Thurn* —7G **15**
Methley St. *Cud* —1D **12**
Metrodome Leisure Complex,
        The. —5G **11**
Metro Trad. Cen. *B'ley* —2J **9**
Mexborough Rd. *Bol D* —7H **25**
Meyrick Dri. *Dart* —7H **3**
Michael Rd. *B'ley* —5A **12**
Michael's Est. *Grim* —7J **7**
Mickelden Way. *B'ley* —6A **10**
Middleburn Clo. *B'ley* —1G **21**
Middlecliff Cotts. *L Hou* —1C **24**
Middlecliffe. —1C 24
Middlecliff La. *L Hou* —7A **14**
Middle Clo. *Dart* —5G **3**
Middle Fld. La. *Wool* —1J **3**
Middle Fld. Rd. *Silk* —7H **9**
Middlesex St. *B'ley* —1F **21**
Middlewoods. *Dod* —1A **20**
Midhope Way. *B'ley* —6A **10**
Midhurst Gro. *Bar G* —2J **9**
Midland Rd. *Roy* —2J **5**
Midland St. *B'ley* —6F **11**
Milano Ri. *D'fld* —3H **23**
Milden Pl. *B'ley* —1G **21**
Milefield Gro. *Grim* —7H **7**
Milefield La. *Grim* —7G **7**
Milefield Vw. *Grim* —7H **7**
Mileswood Clo. *Gt Hou* —4B **14**
Milford Av. *Else* —3D **28**
Milgate St. *Roy* —2K **5**
Mill Ct. *Wors* —3G **21**
Millers Cft. *Roy* —2J **5**
Millers Dale. *Wors* —4G **21**
Mill Hill. *Womb* —4D **22**
Millhouse Green. —5A 16

Millhouse La. *Mill G* —5A **16**
Millhouses. —3B 24
Millhouses St. *Hoy* —4A **28**
Mill La. *Dart* —5J **3**
Mill La. *Thurls* —5B **16**
Mill La. *Wath D* —4K **29**
Mill La. *W'wth* —7B **28**
Millmoor Ct. *Womb* —4H **23**
Millmoor Rd. *Womb* —4G **23**
Millmount Rd. *Hoy* —4B **28**
Millrace Dri. *Gold* —4G **25**
Millside. *Shaf* —3E **6**
Millside Wlk. *Shaf* —3E **6**
Millstones. *Oxs* —7A **18**
Mill St. *B'ley* —6H **11**
Mill Vw. *Bol D* —7F **25**
Milner Av. *P'stne* —4D **16**
Milnes St. *B'ley* —7G **11**
Milne St. *Bar G* —3J **9**
Milton. —5A 28
Milton Clo. *Jump* —2B **28**
Milton Clo. *Wath D* —1K **29**
Milton Cres. *Hoy* —4A **28**
Milton Gro. *Womb* —6G **23**
Milton Rd. *Hoy* —4A **28**
Milton St. *Gt Hou* —5B **14**
Minster Way. *B'ley* —4K **11**
Mission Fld. *Bram* —1J **29**
Mitchell Clo. *Wors* —3K **21**
Mitchell Rd. *Womb* —3E **22**
Mitchells Enterprise Cen.
                Womb —3E **22**
Mitchell St. *Swait* —3A **22**
Mitchells Way. *Womb* —4E **22**
Mitchelson Av. *Dod* —1J **19**
Modena Ct. *D'fld* —2G **23**
Mona St. *B'ley* —5D **10**
Monk Bretton. —3J 11
Monk Bretton Priory. —5A **12**
        (remains of)
Monkspring. *Wors* —3J **21**
Monks Way. *B'ley* —4K **11**
Monk Ter. *Bram* —1A **12**
Monkton Way. *Roy* —1J **5**
Monsal Cres. *B'ley* —7G **5**
Monsal St. *Thurn* —6G **15**
Montague St. *Cud* —6E **6**
Montrose Av. *Dart* —5K **3**
Mont Wlk. *Womb* —4C **22**
Moorbank Clo. *B'ley* —3C **10**
Moorbank Clo. *Womb* —4D **22**
Moorbank Rd. *Womb* —3D **22**
Moorbank Vw. *Womb* —3D **22**
Moorbridge Cres. *Bram* —7K **23**
Moorcrest Ri. *M'well* —4B **4**
Moor End Houses. *Silk* —3F **19**
Moorend La. *Silk C* —3E **18**
Moor Grn. Clo. *B'ley* —6A **10**
Moorhouse La. *Haigh* —1G **3**
Moorland Av. *B'ley* —7B **10**
Moorland Av. *M'well* —4B **4**
Moorland Cres. *M'well* —4B **4**
Moorland Pl. *Silk C* —3E **18**
Moorland Ter. *Cud* —2E **12**
Moor La. *Birdw* —4F **27**
Moor La. *Brie* —1B **14**
Moorley. *Birdw* —7E **20**
Mooreside Av. *P'stne* —6F **17**
Mooreside Clo. *M'well* —6B **4**
Morrison Pl. *D'fld* —2H **23**
Morrison Rd. *D'fld* —2H **23**
Mortimer Dri. *P'stne* —7E **16**
Mortimer Heights. *P'stne* —7E **16**
Mortimer Rd. *P'stne* —7E **16**
Morton Clo. *B'ley* —2K **11**
Mottram St. *B'ley* —5F **11**
Mount Av. *Gt Hou* —6C **14**
Mount Av. *Grim* —6J **7**
Mount Cres. *Hoy* —2K **27**
Mt. Osborne Ind. Pk. *B'ley* —7H **11**
Mount Pleasant. *Grim* —6J **7**
Mount Pleasant. *Wors* —4H **21**

Mount Rd. *Grim* —6J **7**
Mount St. *Ard* —7B **12**
Mount St. *B'ley* —7E **10**
Mount Ter. *Wath D* —3K **29**
Mount Ter. *Womb* —5E **22**
Mt. Vernon Av. *B'ley* —1F **21**
Mt. Vernon Cres. *B'ley* —2G **21**
MOUNT VERNON HOSPITAL.
—2F **21**
Mt. Vernon Rd. *B'ley & Wors*
—1G **21**
Mucky La. *B'ley* —6C **12**
Muirfield Clo. *Cud* —5E **6**
Muirfields, The. *Dart* —5A **4**
Mulberry Clo. *D'fld* —4J **23**
Mulberry Clo. *Gold* —3G **25**
Murdoch Pl. *B'ley* —7E **4**
Mus. of the 13th/18th Royal
Hussars (QMO), The.—2A 8
(Cannon Hall Mus.)
Mylor Ct. *B'ley* —4J **11**
Myrtle Rd. *Womb* —5E **22**
Myrtle St. *B'ley* —5C **10**

Nabs Wood Nature
Reserve. —4E **18**
Nancy Cres. *Grim* —1K **13**
Nancy Rd. *Grim* —1K **13**
Nanny Marr Rd. *D'fld* —3J **23**
Napier Mt. *Wors* —3F **21**
Nasmyth Row. Else —5D **28**
(off Wath Rd.)
Naylor Gro. *Dod* —1K **19**
Needlewood. *Dod* —2K **19**
Nelson Av. *B'ley* —3G **11**
Nelson St. *B'ley* —6E **10**
Nelson St. *S Hien* —1G **7**
Nethercroft. *Bar G* —2J **9**
Netherfield Cft. *Shaf* —4E **6**
Nether Rd. *Silk* —6E **8**
Nether Royd Vw. *Silk C* —3E **18**
Netherwood Rd. *Womb* —3F **23**
Neville Av. *B'ley* —1K **21**
Neville Clo. *B'ley* —1K **21**
Neville Clo. *Womb* —4D **22**
Neville Ct. *Womb* —4D **22**
Neville Cres. *B'ley* —1K **21**
Newark Clo. *M'well* —4B **4**
Newbridge Ct. *Monk B* —4H **11**
Newbridge Gro. *Monk B* —4H **11**
New Chapel Av. *P'stne* —7E **16**
New Clo. *Silk* —7D **8**
Newdale Av. *Cud* —2C **12**
Newfield Av. *B'ley* —3K **11**
New Hall La. *B'ley* —1D **22**
Newhill Rd. *B'ley* —2G **11**
Newington Av. *Cud* —6D **6**
Newland Av. *Cud* —2C **12**
Newland Rd. *B'ley* —7E **4**
Newlands Way. *Womb* —7J **23**
New La. *Bol D* —4B **24**
(in two parts)
New Lodge. —7E 4
New Lodge Cres. *B'ley* —7E **4**
Newlyn Dri. *B'ley* —4H **11**
Newman Av. *B'ley* —5J **5**
New Rd. *Caw* —1A **8**
New Rd. *H'fld* —2F **29**
New Rd. *M'well* —4A **4**
New Rd. *Tank* —4D **26**
New Royd. *Mill G* —5A **16**
New Smithy Av. *Thurls* —4C **16**
New Smithy Dri. *Thurls* —4C **16**
Newsome Av. *Womb* —5D **22**
Newstead Rd. *B'ley* —6E **4**
New St. *B'ley* —7E **10**
(S70, in two parts)
New St. *B'ley* —7A **12**
(S71)
New St. *Bol D* —7H **25**
New St. *D'fld* —3J **23**

New St. *Dod* —2K **19**
New St. *Gt Hou* —6C **14**
New St. *Grim* —1J **13**
New St. *H'fld* —2D **28**
New St. *M'well* —5B **4**
New St. *Roy* —3J **5**
New St. *S Hien* —1F **7**
New St. *Womb* —5G **23**
New St. *Wors* —4J **21**
(Edmunds Rd.)
New St. *Wors* —4G **21**
(West St.)
Newton St. *B'ley* —5D **10**
Newtown Av. *Cud* —2C **12**
Newtown Av. *Roy* —2H **5**
Newtown Grn. *Cud* —2D **12**
Nicholas La. *Gold* —3G **25**
Nicholas St. *B'ley* —6D **10**
Nicholson Av. *Bar G* —3J **9**
Noble St. *Womb* —4B **28**
Nook La. *P'stne* —7G **17**
Nook, The. *H'swne* —2J **17**
Nora St. *Gold* —2K **25**
Norcroft. *Wors* —2F **21**
Norcroft La. *Caw* —4C **8**
Norcross Gdns. *D'fld* —3K **23**
Norfolk Clo. *B'ley* —3H **11**
Norfolk Rd. *Gt Hou* —6C **14**
Norman Clo. *B'ley* —3J **11**
Norman Clo. *Wors* —3G **21**
Normandale Rd. *Gt Hou* —5C **14**
Norman St. *Thurn* —7J **15**
N. Carr La. *B'ley* —7J **13**
North Clo. *Roy* —3J **5**
Northcote Ter. *B'ley* —5C **10**
Northcroft. *Shaf* —4E **6**
North Fld. *Dod* —7K **9**
North Fld. *Silk* —7D **8**
Northgate. *B'ley* —4C **10**
Northgate. *S Hien* —1G **7**
Northlands. *Roy* —2J **5**
North La. *Caw* —4A **8**
(Gadding Moor Rd.)
North La. *Caw* —5E **8**
(Silkstone La.)
Northorpe. *Dod* —2B **20**
North Pl. *B'ley* —4B **10**
North Rd. *Roy* —1K **5**
N. Royds Wood. *B'ley* —5F **5**
North St. *D'fld* —2J **23**
Northumberland Av. *Hoy* —2A **28**
Northumberland Way. *B'ley*
—7B **12**
North Vw. *Grim* —7H **7**
Norville Cres. *D'fld* —2K **23**
Norwood Dri. *Bar G* —2J **9**
Norwood Dri. *Brie* —3J **7**
Norwood La. *Thurls* —3B **16**
Nostell Fold. *Dod* —3K **19**
Nottingham Clo. *B'ley* —1C **22**
Nursery Gdns. *B'ley* —1A **22**
Nursery St. *B'ley* —7E **10**

Oak Clo. *Hoy* —4K **27**
Oakdale. *Wors* —3H **21**
Oakdale Clo. *Wors* —4H **21**
Oakfield Ct. *M'well* —5A **4**
Oakfield Wlk. *B'ley* —5B **10**
Oakham Pl. *B'ley* —4C **10**
Oak Haven Av. *Gt Hou* —6C **14**
Oakland. *Wors* —4H **21**
Oaklands Av. *B'ley* —3K **11**
Oak Lea. *Wors* —4J **21**
Oaklea Clo. *M'well* —4B **4**
Oak Leigh. *Caw* —3C **8**
Oak Pk. Ri. *B'ley* —1G **21**
Oak Rd. *Shaf* —4F **7**
Oak Rd. *Thurn* —7H **15**
Oaks Bus. Pk. *B'ley* —6J **11**
Oaks Cres. *B'ley* —7J **11**
Oaks Farm Clo. *Dart* —5K **3**

Oaks Farm Dri. *Dart* —5K **3**
Oaks La. *B'ley* —7J **11**
(S70)
Oaks La. *B'ley* —6J **11**
(S71, in two parts)
Oak St. *B'ley* —6D **10**
Oak St. *Grim* —1K **13**
Oaks Wood Dri. *Dart* —6K **3**
Oak Tree Av. *Cud* —7D **6**
Oak Tree Clo. *Dart* —6H **3**
Oakwell Bus. & Youth Enterprise
Cen. —6H **11**
Oakwell La. *B'ley* —6G **11**
Oakwell Ter. *B'ley* —7G **11**
Oakwell Vw. *B'ley* —7G **11**
Oakwood Av. *Roy* —2J **5**
Oakwood Clo. *Wors* —4J **21**
Oakwood Cres. *Roy* —2H **5**
Oakwood Rd. *Roy* —2H **5**
Cannood Sq. *Dart* —6F **3**
Oakworth Clo. *B'ley* —4B **10**
Oberon Cres. *D'fld* —2H **23**
Occupation Rd. *Harl* —7K **27**
Old Anna La. *P'stne* —4C **16**
Old Cubley. —7E 16
Oldfield Clo. *Hoy* —3A **28**
Old Hall Rd. *Wors* —6D **20**
Old Hall Wlk. *Gt Hou* —6C **14**
Old Ho. Clo. *H'fld* —2E **28**
Old Mnr. Dri. *Oxs* —7K **17**
Old Mkt. Pl. *Womb* —6F **23**
Old Mill. —4G 11
Old Mill La. *B'ley* —5E **10**
Old Moor La. *Wath D* —7A **24**
Old Moor Wetland Cen. —6A 24
(Nature Reserve)
Old Moor Wetland Cen.
Vis. Cen. —7A 24
Old Rd. *B'ley* —2G **11**
Old Row. *Else* —4D **28**
Oldroyd Av. *Grim* —1J **13**
Old School Clo. *Hoy* —2A **28**
Old School Ct. *Bar G* —2J **9**
Old Town. —4C 10
Ollerton Rd. *B'ley* —5F **5**
Orchard Clo. *B'ley* —2J **11**
Orchard Clo. *M'well* —5B **4**
Orchard Clo. *Silk C* —3E **18**
Orchard Cft. *Dod* —2A **20**
Orchard Dri. *S Hien* —1F **7**
Orchard M. *B'ley* —4E **10**
Orchard Pl. *Cud* —2E **12**
Orchard St. *Gold* —4J **25**
Orchard St. *Womb* —5F **23**
Orchard Ter. *Caw* —3D **8**
Orchard Wlk. *B'ley* —4F **11**
Orchard Way. *Thurn* —7H **15**
Oriel Way. *B'ley* —4K **11**
Orwell Clo. *Womb* —7H **23**
Osborne Ct. *B'ley* —3K **11**
Osborne M. *B'ley* —7G **11**
Osborne St. *B'ley* —7G **11**
Osmond Dri. *Wors* —3G **21**
Osmond Pl. *Wors* —3G **21**
Osmond Way. *Wors* —3G **21**
Osprey Av. *Birdw* —1F **27**
Oulton Dri. *Cud* —7E **6**
Ouson Gdns. *B'ley* —5J **5**
Overdale Av. *Wors* —2H **21**
Overdale Rd. *Womb* —7G **23**
Owram St. *D'fld* —3J **23**
Oxford Pl. *S'foot* —7A **12**
Oxford St. *B'ley* —1G **21**
Oxford St. *S'foot* —7A **12**
Oxspring. —7K 17
Oxspring La. *Oxs* —4J **17**
Oxton Rd. *B'ley* —6F **5**

Pack Horse Grn. *Silk* —7D **8**
Packman Rd. *Wath D* —2K **29**
(Brampton Rd.)

Packman Rd. *Wath D & Rawm*
(Rotherham Rd.) —4K **29**
Packman Way. *Wath D* —3K **29**
Paddock Clo. *M'well* —5C **4**
Paddock Gro. *Cud* —7E **6**
Paddock Rd. *M'well* —5C **4**
Paddock, The. *D'fld* —2J **23**
Paddock, The. *H'fld* —1E **28**
Padley Clo. *Dod* —1J **19**
Padua Ri. *D'fld* —3H **23**
Pagnell Av. *Thurn* —1F **25**
Palermo Fold. *D'fld* —2H **23**
Pall Mall. *B'ley* —6F **11**
Palmer Clo. *P'stne* —7E **16**
Palm St. *B'ley* —4D **10**
Pangbourne Rd. *Thurn* —6G **15**
Pantry Grn. *Wors* —4J **21**
Pantry Hill. *Wors* —3J **21**
Pantry Well. *Wors* —4J **21**
Parade, The. *Roy* —4K **27**
Parish Way. *B'ley* —4K **11**
Park Av. *B'ley* —7F **5**
(S70)
Park Av. *B'ley* —7F **5**
(S71)
Park Av. *Brie* —3K **7**
Park Av. *Cud* —7D **6**
Park Av. *Grim* —6J **7**
Park Av. *P'stne* —5E **16**
Park Av. *Roy* —3K **5**
Park Clo. *M'well* —6C **4**
Park Cotts. *Wors* —5G **21**
Park Ct. *Thurn* —7H **15**
Park Cres. *Roy* —3K **5**
Park Dri. *S'bgh* —4B **20**
Park End Rd. *Gold* —4H **25**
Parker's Ter. *Birdw* —2E **26**
Parker St. *B'ley* —6D **10**
Park Gro. *B'ley* —6E **10**
Parkhead Clo. *Roy* —2G **5**
Park Hill. *D'fld* —2K **23**
Pk. Hill Gro. *Dod* —7K **9**
Pk. Hill Rd. *Womb* —5G **23**
Park Hollow. *Womb* —6G **23**
Parkin Ho. La. *Mill G* —6A **16**
Park La. *C'town* —7G **27**
Park La. *Gt Hou* —3K **13**
Park La. *P'stne* —5E **16**
Park Rd. *B'ley* —1D **20**
Park Rd. *Brie* —3K **7**
Park Rd. *Grim* —7J **7**
Park Rd. *Thurn* —7G **15**
Park Rd. *Wors* —5G **21**
Parkside M. *Wors B* —3G **21**
Parkside Rd. *Hoy* —5H **27**
Pk. Spring Rd. *Grim* —1H **13**
Park St. *B'ley* —7E **10**
Park St. *Womb* —6G **23**
Park, The. *Caw* —3C **8**
Park Vw. *B'ley* —1D **20**
Park Vw. *Brie* —3K **7**
Park Vw. *Dod* —1K **19**
Park Vw. *Roy* —2K **5**
Park Vw. *Shaf* —4E **6**
Park Vw. *Wors* —3H **21**
Pk. View Rd. *M'well* —5D **4**
Parma Ri. *D'fld* —3G **23**
Parson La. *Dod* —2H **19**
Pashley Cft. *Womb* —6D **22**
Pasture La. *Bol D* —4B **24**
Pavilion Clo. *Brie* —3J **7**
Pea Fields La. *Wort* —7A **26**
Peak Rd. *B'ley* —7G **5**
Pearson Cres. *Womb* —3D **22**
Pearson's Fld. *Womb* —5F **23**
Peartree Av. *Thurn* —7G **15**
Pear Tree Ct. *Gt Hou* —5B **14**
Pear Tree Ct. *Thurn* —7G **15**
Peasehill Clo. *B'ley* —7E **10**
Peel Pde. *B'ley* —6E **10**
Peel Pl. *B'ley* —4G **11**
Peel Sq. *B'ley* —6E **10**

Peel St. *B'ley* —1F **21**
(Highstone Rd.)
Peel St. *B'ley* —6E **10**
(Peel Sq.)
Peel St. Arc. *B'ley* —6E **10**
Peet Wlk. *Jump* —2B **28**
*Pembridge Ct. Roy —2J **5***
(off Rushton Dri.)
Pendlebury Gro. *Hoy* —4J **27**
Pendon Ho. *P'stne* —5F **17**
Pengeston Rd. *P'stne* —5D **16**
Penistone. —5F 17
Penistone Ct. *P'stne* —5G **17**
Penistone Sports Cen. —4D **16**
Pennine Clo. *Dart* —4A **4**
Pennine Vw. *Dart* —4A **4**
Pennine Way. *B'ley* —5B **10**
Penrhyn Wlk. *B'ley* —7C **12**
Penrith Gro. *B'ley* —7B **12**
Pepper St. *Hoy* —1A **28**
Peregrine Dri. *Birdw* —1F **27**
Perseverance St. *B'ley* —6D **10**
Peterfoot Way. *B'ley* —5H **5**
Petworth Cft. *Roy* —2H **5**
Peveril Cres. *B'ley* —7G **11**
Philip Rd. *B'ley* —1K **21**
Phoenix La. *Thurn* —1J **25**
Pickhill's Av. *Gold* —3A **25**
Pickup Cres. *Womb* —7F **23**
Pilley. —3D 26
Pilley Green. —4D 26
Pilley Grn. *Tank* —4D **26**
Pilley Hills. —3B 26
Pilley La. *Tank* —3D **26**
Pilley La. End. *Tank* —2C **26**
Pindar Oaks Cotts. *B'ley* —7H **11**
Pindar Oaks St. *B'ley* —7G **11**
Pindar St. *B'ley* —7H **11**
Pine Clo. *B'ley* —2J **21**
Pine Clo. *Hoy* —4A **28**
Pinehall Dri. *B'ley* —3K **11**
Pinewood Clo. *Gt Hou* —4B **14**
Pinfield Clo. *Gt Hou* —5C **14**
Pinfold Clo. *B'ley* —7A **12**
Pinfold Cotts. *Cud* —1E **12**
Pinfold Hill. *Wors* —2G **21**
Pinfold La. *D'fld* —3K **23**
(in two parts)
Pinfold La. *Roy* —3J **5**
(in two parts)
Pinfold La. *Silk C & T'land* —5E **18**
Pit La. *Womb* —6C **22**
Pit Row. *H'fld* —3E **28**
Pitt La. *M'well* —5A **4**
Pitt St. *B'ley* —6E **10**
Pitt St. *Womb* —3G **23**
Pitt St. W. *B'ley* —6D **10**
Plantation Av. *Roy* —3K **5**
Platts Common. —1A 28
Platts Comn. Ind. Est. *Hoy* —2K **27**
Playford Yd. *Hoy* —1K **27**
Pleasant Av. *Gt Hou* —5C **14**
Pleasant Vw. *Cud* —3E **12**
Pleasant Vw. St. *B'ley* —3E **10**
Ploughmans Cft. *Bram* —2H **29**
Plover Dri. *Birdw* —1F **27**
Plumber St. *B'ley* —6D **10**
Plumpton Ct. *Thurls* —5B **16**
Plumpton Way. *Shaf* —4E **6**
Pogmoor. —5B 10
Pogmoor La. *B'ley* —5A **10**
(in two parts)
Pogmoor Rd. *B'ley* —5B **10**
Pog Well La. *Hghm* —4J **9**
(in two parts)
Pollitt St. *B'ley* —4D **10**
Pollyfox Way. *Dod* —1K **19**
Pond St. *B'ley* —7E **10**
(in two parts)
Pontefract La. *Bram* —2K **29**
Pontefract Rd. *B'ley* —6F **11**

Pontefract Rd. *Bram* —1K **29**
Pontefract Rd. *Cud & Shaf* —6D **6**
Pools La. *Roy* —3A **6**
Poplar Av. *Gold* —3J **25**
Poplar Av. *Shaf* —4E **6**
Poplar Gro. *Lund* —3A **12**
Poplar Rd. *Womb* —6G **23**
Poplars Rd. *B'ley* —1H **21**
Poplar St. *Grim* —1K **13**
Poplar Ter. *Roy* —2K **5**
Porter Av. *B'ley* —5C **10**
Porter Ter. *B'ley* —5B **10**
Portland St. *B'ley* —7H **11**
Potts Cres. *Gt Hou* —5C **14**
Poulton St. *B'ley* —1K **11**
Powder Mill La. *Wors* —5J **21**
Powell St. *Wors* —4H **21**
*Powerhouse Sq. Else —5D **28***
(off Forge La.)
Preston Av. *Jump* —2C **28**
Preston Way. *B'ley* —1K **11**
Priest Cft. La. *B'ley* —7H **13**
Priestley Av. *Dart* —6G **3**
Priest Royd. *Dart* —5A **4**
Primrose Av. *D'fld* —3H **23**
Primrose Clo. *Bol D* —5F **25**
Primrose Hill. *Hoy* —4A **28**
Primrose Way. *Hoy* —5A **28**
Prince Arthur St. *B'ley* —5D **10**
Princess Clo. *Bol D* —6F **25**
Princess Dri. *Thurn* —1J **25**
Princess Gdns. *Womb* —6F **23**
Princess Gro. *Tank* —4C **26**
Princess Rd. *Bol D* —6F **25**
Princess St. *B'ley* —6E **10**
Princess St. *Cud* —5E **6**
Princess St. *Grim* —1J **13**
Princess St. *Hoy* —4H **27**
Princess St. *M'well* —5A **4**
Princess St. *Womb* —5E **22**
Priory Clo. *Wors* —6F **21**
Priory Cres. *B'ley* —4A **12**
Priory Pl. *B'ley* —3A **12**
Priory Rd. *B'ley* —3A **12**
Priory Rd. *Bol D* —6G **25**
Probert Av. *Gold* —3H **25**
Prospect. *Thurls* —5C **16**
Prospect Cotts. *B'ley* —1F **21**
Prospect Rd. *Bol D* —5G **25**
Prospect Rd. *Cud* —1D **12**
Prospect St. *B'ley* —6D **10**
Prospect St. *Cud* —7D **6**
Providence Ct. *B'ley* —7E **10**
Providence St. *Womb* —4H **23**
Psalters Dri. *Oxs* —7K **13**
Pye Av. *M'well* —6A **4**

Quaker La. *B'ley* —7C **12**
(Doncaster Rd.)
Quaker La. *B'ley* —7B **12**
(Northumberland Way)
Quaker La. *B'ley* —3H **11**
(Westgate)
Quarry Bank. *Wath D* —3K **29**
Quarry Bank Clo. *Cud* —2D **12**
Quarry Clo. *Dart* —6H **3**
Quarry Hills. —3A 24
Quarry La. *D'fld* —3A **24**
Quarry Rd. *Bla H* —7K **21**
Quarry St. *B'ley* —7F **11**
(S70)
Quarry St. *B'ley* —2G **11**
(S71)
Quarry St. *Cud* —7D **6**
Quarry Va. *Cud* —1D **12**
Queen Rd. *Grim* —1K **13**
Queen's Av. *B'ley* —5D **10**
Queen's Av. *L Hou* —1B **24**
Queens Cres. *Hoy* —4G **27**
Queens Dri. *B'ley* —4C **10**
Queen's Dri. *Cud* —5E **6**

Queen's Dri. *Dod* —1K **19**
Queen's Dri. *Shaf* —3D **6**
Queens Gdns. *B'ley* —4C **10**
Queens Gdns. *Hoy* —4H **27**
Queens Gdns. *Womb* —6F **23**
Queen's Rd. *B'ley* —6F **11**
Queen's Rd. *Cud* —5E **6**
Queen St. *B'ley* —6E **10**
Queen St. *D'fld* —2K **23**
Queen St. *Gold* —3J **25**
Queen St. *Hoy* —4G **27**
Queen St. *P'stne* —5G **17**
Queen St. *Thurn* —1J **25**
Queen St. S. *B'ley* —6F **11**
Queensway. *B'ley* —4C **10**
Queensway. *Hoy* —3B **28**
Queensway. *Roy* —2J **5**
Queensway. *Wors* —3H **21**
Quern Way. *D'fld* —2J **23**
Quest Av. *H'fld* —1E **28**

Race Comn. Av. *P'stne* —7E **16**
Racecommon La. *B'ley* —1D **20**
(in two parts)
Racecommon Rd. *B'ley* —1D **20**
Race St. *B'ley* —6E **10**
Radcliffe Rd. *B'ley* —6F **5**
Railway Cotts. *Dod* —1J **19**
Railway Ter. *Gold* —3H **25**
Railway Vw. *Gold* —3J **25**
Rainborough Ct. *Bram* —3H **29**
Rainborough M. *Bram B* —2K **29**
Rainborough Rd. *Wath D* —3K **29**
Rainboro Vw. *H'fld* —2E **28**
Rainford Dri. *B'ley* —1K **11**
Rainton Gro. *B'ley* —4B **10**
Raley St. *B'ley* —1D **20**
(in two parts)
Ratten Row. *Dod* —2J **19**
Ravenfield Dri. *B'ley* —1G **11**
Ravenholt. *Wors* —4G **21**
Raven La. *S Hien* —1C **6**
Raven Royd. *B'ley* —5F **5**
Ravens Clo. *M'well* —6B **4**
Ravens Ct. *Wors* —4H **21**
Ravenshaw Clo. *B'ley* —4B **10**
Ravensmead Ct. *Bol D* —7G **25**
Raw Green. —4A 8
Raymond Av. *Grim* —1J **13**
Raymond Rd. *B'ley* —7K **11**
Reasbeck Ter. *B'ley* —2F **11**
Reaton M. *B'ley* —4B **10**
Rebecca M. *B'ley* —7F **11**
Rebecca Row. *B'ley* —7F **11**
Rectory Clo. *Car* —5K **5**
Rectory Clo. *Thurn* —7F **15**
Rectory Clo. *Womb* —6F **23**
Rectory La. *Thurn* —7F **15**
Rectory Way. *B'ley* —4K **11**
Redbrook. —3B 10
Redbrook Bus. Pk. *B'ley* —2B **10**
Redbrook Ct. *B'ley* —3C **10**
Redbrook Rd. *B'ley* —3A **10**
Redbrook Vw. *B'ley* —3C **10**
Redbrook Wlk. *B'ley* —3C **10**
Redcliffe Clo. *B'ley* —4B **10**
Redfearn St. *B'ley* —5F **11**
Redhill Av. *B'ley* —1J **21**
Redland Gro. *M'well* —4B **4**
Redthorne Way. *Shaf* —3D **6**
Redthorpe Crest. *B'ley* —3A **10**
Redwood Av. *Roy* —3J **5**
Redwood Clo. *Hoy* —4K **27**
Reed Clo. *D'fld* —3J **23**
Regent Ct. *B'ley* —3C **10**
Regent Cres. *B'ley* —7F **5**
Regent Cres. *S Hien* —1G **7**
Regent Gdns. *B'ley* —4E **10**
Regent Ho. *B'ley* —6F **11**
Regent St. *B'ley* —5E **10**
Regent St. *Hoy* —4G **27**

Regent St. *S Hien* —1G **7**
Regent St. S. *B'ley* —5F **11**
Regina Cres. *Brie* —4G **7**
Reginald Rd. *B'ley* —1K **21**
Reginald Rd. *Womb* —6H **23**
Renald La. *H'swne* —2G **17**
Rhodes Ter. *B'ley* —7G **11**
Riber Av. *B'ley* —7G **5**
Richard Av. *B'ley* —1G **11**
Richard Rd. *B'ley* —1G **11**
Richard Rd. *Dart* —6H **3**
Richardson Wlk. *Womb* —4D **22**
Richard St. *B'ley* —6D **10**
Richmond Av. *Dart* —7H **3**
Richmond Rd. *Thurn* —7G **15**
Richmond St. *B'ley* —6D **10**
Ridgewalk Way. *Wors* —2F **21**
Ridgeway Cres. *B'ley* —5J **5**
Ridgway Av. *D'fld* —2J **23**
Ridings Av. *B'ley* —2H **11**
Ridings, The. *B'ley* —2H **11**
Rimington Rd. *Womb* —5F **23**
Rimini Ri. *D'fld* —3G **23**
Ringstone Gro. *Brie* —3J **7**
Ringway. *Bol D* —6F **25**
Ripley Gro. *B'ley* —3B **10**
Risedale Rd. *Gold* —4K **25**
Riverside Clo. *D'fld* —3A **24**
Riverside Gdns. *Bol D* —7H **25**
Roache Dri. *Gold* —4G **25**
Robert Av. *B'ley* —5K **11**
Roberts St. *Cud* —7D **6**
Roberts St. *Womb* —6E **22**
Robin Hood Av. *Roy* —2K **5**
Robin La. *Hems* —1H **7**
Robin La. *Roy* —2K **5**
Robinson's Sq. *Birdw* —2E **26**
Rob Royd. *Dod* —2K **19**
Rob Royd. *Wors* —3C **20**
Rob Royd La. *B'ley* —3D **20**
(in two parts)
Roche Clo. *B'ley* —4H **11**
Rochester Rd. *B'ley* —3H **11**
Rockingham Bus. Pk. *Birdw*
—3F **27**
Rockingham Clo. *Birdw* —3F **27**
Rockingham M. *Birdw* —3E **26**
Rockingham Rd. *Dod* —2A **20**
Rockingham Row. *Birdw* —3F **27**
Rockingham St. *B'ley* —3E **10**
Rockingham St. *Birdw* —3F **27**
Rockingham St. *Hoy* —3H **27**
Rockley Av. *Birdw* —1E **26**
Rockley Av. *Womb* —7D **22**
Rockley Cres. *Birdw* —2E **26**
Rockley La. *Wors* —5C **20**
Rockley Meadows. *B'ley* —1C **20**
Rockleys. *Dod* —2A **20**
Rockley Vw. *Tank* —3D **26**
Rock Mt. *Hoy* —3B **28**
Rockside Rd. *Thurls* —5C **16**
Rock St. *B'ley* —5D **10**
Rockwood Clo. *Dart* —5K **3**
Rodes Av. *Gt Hou* —5C **14**
Roebuck Hill. *Jump* —1B **28**
Roebuck St. *Womb* —6G **23**
Roeburn Clo. *M'well* —4A **4**
Roehampton Ri. *B'ley* —7C **12**
Roger Rd. *B'ley* —5A **12**
Roman Rd. *Dart* —7H **3**
Roman St. *Thurn* —6J **15**
Rookdale Clo. *B'ley* —3B **10**
Rookhill. *Wors* —3J **21**
Rose Av. *D'fld* —1H **23**
Roseberry Clo. *Hoy* —5A **28**
Rosebery St. *B'ley* —7K **11**
Rosebery Ter. *B'ley* —7F **11**
Rosedale Gdns. *B'ley* —6C **10**
Rose Greave. *Gold* —3H **25**
Rose Gro. *Womb* —4D **22**
Rose Hill Clo. *P'stne* —6F **17**
Rosehill Cotts. *Harl* —7A **28**

Rosehill Ct. *B'ley* —5E **10**
Rose Hill Dri. *Dod* —1K **19**
Rose Pl. *Womb* —4E **22**
Rose Tree Av. *Cud* —7D **6**
Rose Tree Ct. *Cud* —7D **6**
Rother Cft. *Hoy* —3A **28**
Rotherham Rd. *B'ley* —1G **11**
Rotherham Rd. *Gt Hou & L Hou*
—5C **14**
Rotherham Rd. *Wath D* —3K **29**
Rother St. *Bram* —1J **29**
Roughbirchworth. —7J 17
Roughbirchworth La. *Oxs* —7K **17**
Round Grn. La. *S'bgh* —4B **20**
Round Hill. *Dart* —5A **4**
Roundwood Ct. *Wors* —4G **21**
Roundwood Way. *D'fld* —2H **23**
Rowan Clo. *B'ley* —1F **21**
Rowan Clo. *Gold* —3G **25**
Rowan Dri. *B'ley* —4B **10**
Rowland Rd. *B'ley* —4C **10**
Rowland St. *Roy* —2K **5**
Royal Ct. *Bar G* —1J **9**
Royal Ct. *Hoy* —3B **28**
Royal St. *B'ley* —6E **10**
Royd Av. *Cud* —1D **12**
Royd Av. *M'well* —5B **4**
Royd Av. *Mill G* —5A **16**
Royd Clo. *Wors* —4F **21**
Royd Fld. La. *P'stne* —7F **17**
Royd La. *Hghm* —4G **9**
(in two parts)
Royd La. *Mill G* —4A **16**
Royd Moor Ct. *Thurls* —4C **16**
Royd Moor Rd. *Thurls* —3A **16**
Royds La. *Else* —4E **28**
Royd Vw. *Brie* —3J **7**
Roy Kilner Rd. *Womb* —4D **22**
(in two parts)
Royston. —3J 5
Royston Cotts. *Hoy* —3K **27**
Royston Hill. *Hoy* —3K **27**
Royston La. *Roy & B'ley* —4J **5**
Royston Leisure Cen. —2J 5
Royston Rd. *Cud* —5C **6**
Rud Broom Clo. *P'stne* —6D **16**
Rud Broom La. *P'stne* —5D **16**
Rufford Av. *B'ley* —6G **5**
Rufford Ri. *Gold* —4G **25**
Ruscombe Pl. *B'ley* —5J **5**
Rushton Dri. *Roy* —2J **5**
Rushworth Clo. *Dart* —6G **3**
Ruskin Clo. *Wath D* —2K **29**
Russell Clo. *B'ley* —2H **11**
Rutland Pl. *Womb* —6D **22**
Rutland Way. *B'ley* —4C **10**
Rydal Clo. *Bol D* —7G **25**
Rydal Clo. *P'stne* —4F **17**
Rydal Ter. *B'ley* —6G **11**
Rye Cft. *B'ley* —1G **11**
Rylstone Wlk. *B'ley* —2K **21**
Ryton Av. *Womb* —7H **23**

Sackup La. *Dart* —5K **3**
Sackville St. *B'ley* —5D **10**
Sadler Ga. *B'ley* —5E **10**
Sadler's Ga. *Womb* —4E **22**
St Andrews Clo. *B'ley* —3A **28**
St Andrews Dri. *Dart* —5A **4**
St Andrew's Rd. *Hoy* —3A **28**
St Andrew's Sq. *Bol D* —6G **25**
St Andrews Way. *B'ley* —1C **22**
St Anne's Dri. *B'ley* —7K **5**
St Austell Dri. *Bar G* —3J **9**
St Barbara's Rd. *D'fld* —3H **23**
St Bart's Ter. *B'ley* —7F **11**
St Catherine's Way. *B'ley* —6B **10**
St Christophers Clo. *B'ley* —1C **22**
St Clements Clo. *B'ley* —1C **22**
St David's Dri. *B'ley* —7B **12**
St Edward's Av. *B'ley* —7D **10**

St Francis Boulevd. *B'ley* —7K **5**
St George's Rd. *B'ley* —6E **10**
St Helen's. —2K 11
St Helen's Av. *B'ley* —2H **11**
St Helen's Boulevd. *B'ley* —1H **11**
St Helens Clo. *Thurn* —7F **15**
St Helens Ct. *Else* —3B **28**
St Helen's St. *Else* —3C **28**
St Helen's Way. *B'ley* —2K **11**
St Helier Dri. *B'ley* —5B **10**
St Hilda Av. *B'ley* —6C **10**
St Hildas Clo. *Thurn* —6J **15**
St James' Clo. *Wors* —4G **21**
St John's. *H'swne* —2H **17**
St John's Av. *Bar G* —3J **9**
St John's Clo. *Dod* —1J **19**
St John's Clo. *P'stne* —6E **16**
St John's Rd. *B'ley* —7E **10**
St John's Rd. *Cud* —1D **12**
St John's Wlk. *Roy* —3K **5**
St Joseph's Gdns. *B'ley* —7H **11**
St Julien's Mt. *Caw* —3C **8**
St Julien's Way. *Caw* —3C **8**
St Leonards Way. *B'ley* —1C **22**
St Lukes Way. *B'ley* —4J **11**
St Martin's Clo. *B'ley* —6B **10**
St Mary's Clo. *Cud* —7D **6**
St Marys Gdns. *Wors* —6G **21**
St Mary's Ga. *B'ley* —5E **10**
St Mary's Pl. *B'ley* —5E **10**
St Mary's Rd. *D'fld* —3K **23**
St Mary's Rd. *Gold* —2K **25**
St Mary's Rd. *Womb* —6E **22**
St Mary's St. *P'stne* —5F **17**
St Matthews Way. *B'ley* —4J **11**
St Michael's Av. *B'ley* —1K **11**
St Michaels Clo. *Gold* —3H **25**
St Owens Dri. *B'ley* —5B **10**
St Paul Rd. *B'ley* —4C **10**
St Paul's Pde. *B'ley* —7B **12**
St Peters Ga. *Thurn* —6G **15**
St Peter's Ter. *B'ley* —7G **11**
St Thomas's Rd. *B'ley* —3A **10**
Salcombe Clo. *M'well* —6C **4**
Salerno Way. *D'fld* —2G **23**
Sale St. *Hoy* —4G **27**
Salisbury St. *B'ley* —4D **10**
Salter Oak Cft. *B'ley* —5J **5**
Saltersbrook. *Gold* —3H **25**
Saltersbrook Flats. *Gold* —3H **25**
Saltersbrook Rd. *D'fld* —1H **23**
Salters Way. *P'stne* —6F **17**
Samuel Rd. *B'ley* —4B **10**
Samuel Sq. *B'ley* —4B **10**
Sandbeck Clo. *B'ley* —4F **11**
Sandcroft Clo. *Hoy* —4J **27**
Sandford Ct. *B'ley* —6D **10**
Sandhill. —6D 14
Sandhill Clo. *Gt Hou* —6D **14**
Sandhill Golf Course. —7B 14
Sandhill Gro. *Grim* —5J **7**
Sandringham Clo. *Thurls* —4C **16**
Sandybridge La. *S Hien* —1C **6**
Sandybridge La. Ind. Est. *Shaf*
—2D **6**
Sandygate La. *B'ley* —7A **12**
Sandy La. *Womb* —6A **22**
Sankey Sq. *Gold* —3H **25**
Saunderson Rd. *P'stne* —4D **16**
Saunder's Row. *Womb* —6E **22**
Savile Wlk. *Brie* —3K **7**
Saville Ct. *Hoy* —4H **27**
Saville Hall La. *Dod* —2K **19**
Saville La. *Thurls* —5C **16**
Saville Rd. *Dod* —2K **19**
Saville St. *Cud* —7D **6**
Saville Ter. *B'ley* —7E **10**
Saxon Cres. *Wors* —3G **21**
Saxon St. *Cud* —1D **12**
Saxon St. *Thurn* —7J **15**
Saxton Clo. *Else* —3D **28**
Scarfield Clo. *B'ley* —7B **12**

Scar La. *Ard* —7B **12**
Sceptone Gro. *Shaf* —3E **6**
Schofield Dri. *D'fld* —2J **23**
Schofield Pl. *D'fld* —2J **23**
Schofield Rd. *D'fld* —2J **23**
Schole Av. *P'stne* —5E **16**
Schole Hill La. *P'stne* —6D **16**
(in two parts)
Scholes Vw. *Hoy* —4A **28**
Scholes Vw. *Jump* —2B **28**
School Hill. *Cud* —7D **6**
School St. *B'ley* —4D **10**
School St. *Bol D* —6G **25**
School St. *Cud* —6D **6**
School St. *D'fld* —2K **23**
School St. *Dart* —5J **3**
School St. *Gt Hou* —5B **14**
(in two parts)
School St. *H'fld* —2E **28**
School St. *M'well* —5C **4**
School St. *S'foot* —7K **11**
School St. *Thurn* —7H **15**
School St. *Womb* —5F **23**
Scout Dike. —2D 16
Selbourne Clo. *Bar G* —2J **9**
Selby Rd. *B'ley* —7F **5**
Sennen Cft. *B'ley* —4H **11**
Seth Ter. *B'ley* —7G **11**
Shackleton Vw. *P'stne* —6F **17**
Shaftesbury Dri. *Hoy* —4K **27**
Shaftesbury St. *B'ley* —7A **12**
Shafton. —3E 6
Shafton Hall Dri. *Shaf* —3D **6**
Shafton Two Gates. —4F 7
Shambles St. *B'ley* —6E **10**
Shawfield Rd. *B'ley* —7K **5**
Shaw Lands. —6D 10
Shaw La. *B'ley* —6C **10**
Shaw La. *Car* —5K **5**
Shaw La. *M'well* —4C **4**
Shaw St. *B'ley* —6D **10**
Sheaf Ct. *B'ley* —1K **21**
Sheaf Cres. *Bol D* —7H **25**
Shed La. *S'bgh* —5K **19**
Sheerien Clo. *B'ley* —6E **4**
Sheffield Rd. *B'ley* —7F **11**
Sheffield Rd. *Birdw* —7E **20**
Sheffield Rd. *Hoy* —4G **27**
Sheffield Rd. *P'stne & Oxs*
—5G **17**
Shelley Clo. *P'stne* —4F **17**
Shelley Dri. *B'ley* —4G **11**
Shepherd La. *Thurn* —1H **25**
Sherburn Rd. *B'ley* —7E **4**
Sheridan Ct. *B'ley* —4H **11**
Sherwood St. *B'ley* —6E **10**
Sherwood Way. *Cud* —5C **6**
Shield Av. *Wors* —3G **21**
Shipcroft Clo. *Womb* —6G **23**
Shire Oak Dri. *Else* —4D **28**
Shirewood Clo. *Bram* —3J **29**
Shirland Av. *B'ley* —1G **11**
Shore Hall La. *Mill G* —6A **16**
Shortfield Cft. *Cud* —3E **12**
Short Row. *B'ley* —2F **11**
Short St. *Hoy* —4H **27**
Short Wood Clo. *Birdw* —7F **21**
Shortwood La. *Clayt* —3E **14**
Shortwood Vs. *Hoy* —2G **27**
Shrewsbury Clo. *P'stne* —5F **17**
Shrewsbury Rd. *P'stne* —5F **17**
Shroggs Head Clo. *D'fld* —2K **23**
Sidcop Rd. *Cud* —5C **6**
(in two parts)
Siena Clo. *D'fld* —2G **23**
Sike Clo. *Dart* —5G **3**
Sike La. *P'stne* —7C **16**
Silkstone. —7D 8
Silkstone Clo. *Tank* —4D **26**
Silkstone Common. —3E 18
Silkstone Cross. —1D 18
Silkstone Golf Course. —6H 9

Silkstone La. *Caw & Silk* —3D **8**
Silkstone Vw. *Hoy* —1A **28**
Silverdale Dri. *B'ley* —2K **11**
Silverstone Av. *Cud* —7E **6**
Silver St. *B'ley* —7E **10**
(in two parts)
Silver St. *Dod* —2K **19**
Sim Hill. —7F 19
Simons Way. *Womb* —3D **22**
Sitka Clo. *Roy* —4H **5**
Skelton Av. *M'well* —5B **4**
Skiers Vw. *Rd. Hoy* —4J **27**
Skiers Way. *Hoy* —4J **27**
Skinpit La. *H'swne* —2J **17**
Skye Cft. *Roy* —1J **5**
Slack La. *S Hien* —1D **6**
Slant Ga. *Mill G* —4A **16**
Small La. *Silk* —1K **17** & 7A **8**
Smithies. —3G 11
Smithies La. *B'ley* —3E **10**
Smithies St. *B'ley* —3E **10**
Smithley. —5B 22
Smithley La. *Womb* —5B **22**
Smith St. *Womb* —5G **23**
Smithy Bri La. *H'fld* —2F **29**
(in two parts)
Smithy Green. —2F 11
Smithy Grn. Rd. *B'ley* —2F **11**
Smithy Wood La. *Dod* —2K **19**
Snailsden Way. *M'well* —6D **4**
Snape Hill. —3J 23
Snape Hill Rd. *D'fld* —3K **23**
Snape Hill Rd. *Womb* —3H **23**
Snetterton Clo. *Cud* —7E **6**
Snowden Ter. *Womb* —5F **23**
Snow Hill. *Dod* —2K **19**
Snydale Rd. *Cud* —7D **6**
Sokell Av. *Womb* —6E **22**
Somerset Ct. *Cud* —1D **12**
Somerset St. *B'ley* —5D **10**
Somerset St. *Cud* —1D **12**
Sorrento Way. *D'fld* —1H **23**
South Clo. *Roy* —4J **5**
South Cres. *Dod* —1K **19**
South Cft. *Shaf* —3E **6**
South Dri. *Bol D* —7F **25**
South Dri. *Roy* —4J **5**
Southfield Cotts. *B'ley* —5J **5**
Southfield Cres. *Thurn* —1F **25**
Southfield La. *Thurn* —2F **25**
(in two parts)
Southfield Rd. *Cud* —3E **12**
Southgate. *B'ley* —4C **10**
Southgate. *Hoy* —3A **28**
Southgate. *P'stne* —6G **17**
Southgate. *S Hien* —1G **7**
S. Grove Dri. *Hoy* —4K **27**
South Hiendley. —1F 7
South La. *H'swne & Caw* —1J **17**
Southlea Av. *Hoy* —4B **28**
Southlea Clo. *Hoy* —4B **28**
Southlea Dri. *Hoy* —4A **28**
Southlea Rd. *Hoy* —4B **28**
South Pl. *B'ley* —4B **10**
South Pl. *Womb* —5D **22**
South Rd. *Dod* —1K **19**
South St. *B'ley* —6D **10**
South St. *D'fld* —3J **23**
South St. *Dod* —2K **19**
South Vw. *D'fld* —3J **23**
South Vw. *Grim* —1H **13**
S. View Rd. *Hoy* —4K **27**
Southwell St. *B'ley* —5D **10**
S. Yorkshire (Redbrook) Ind. Est.
B'ley —2A **10**
Sparkfields. *M'well* —6B **4**
Spark La. *Bar G & M'well* —7A **4**
Spa Well Gro. *Brie* —3J **7**
Spa Well La. *B'ley* —5F **11**
Spencer St. *B'ley* —7E **10**
Spey Clo. *M'well* —7C **4**
Springbank. *D'fld* —3K **23**

Springbank Clo. *B'ley* —6J **5**
Spring Dri. *Bram* —1J **29**
Springfield. *Bol D* —6E **24**
Springfield Clo. *D'fld* —3K **23**
Springfield Cres. *D'fld* —3K **23**
Springfield Cres. *Hoy* —4J **27**
Springfield Pl. *B'ley* —6D **10**
Springfield Rd. *Grim* —7H **7**
Springfield Rd. *Hoy* —4H **27**
Springfields. *B'ley* —3A **10**
Springfield St. *B'ley* —6C **10**
Springfield Ter. *B'ley* —6D **10**
Spring Gdns. *B'ley* —3J **11**
Spring Gdns. *Hoy* —3A **28**
Spring Gro. *B'ley* —5K **5**
Springhill Av. *Bram* —1J **29**
Spring La. *B'ley* —6K **5**
Spring La. *New C* —2C **4**
Spring Ram Bus. Pk. *Dart* —4G **3**
Spring St. *B'ley* —7E **10**
Spring Vale. —5G 17
Spring Va. Av. *Wors* —4F **21**
Springvale Gro. *P'stne* —5G **17**
Springvale Rd. *Gt Hou* —5C **14**
Springvale Rd. *Grim* —2H **13**
Spring Wlk. *Womb* —4D **22**
Springwood Gro. *Thurn* —1G **25**
Springwood Rd. *Hoy* —4J **27**
Springwood Vw. *P'stne* —5H **17**
Spruce Av. *Roy* —3H **5**
Spry La. *Clayt* —3E **14**
Square, The. *B'ley* —7D **10**
Square, The. *Grim* —1K **13**
Square, The. *Harl* —7K **27**
Stacey Cres. *Grim* —7H **7**
Stackyard, The. *B'ley* —7D **12**
Stainborough. —4K 19
Stainborough Clo. *Dod* —2K **19**
Stainborough La. *Hood G* —4J **19**
Stainborough Rd. *Dod* —2K **19**
Stainborough Vw. *Tank* —3D **26**
Stainborough Vw. *Wors* —3F **21**
Staincross. —4A 4
Staincross Comn. *M'well* —4B **4**
Stainley Clo. *B'ley* —3B **10**
Stainmore Clo. *Silk* —7D **8**
Stainton Clo. *B'ley* —1E **10**
Stairfoot. —1A 22
Stairfoot Ind. Est. *B'ley* —1A **22**
Stamford Way. *M'well* —4B **4**
Stanbury Clo. *B'ley* —3B **10**
Standhill Cres. *B'ley* —7E **4**
Stanhope Av. *Caw* —2D **8**
Stanhope Gdns. *B'ley* —4C **10**
Stanhope St. *B'ley* —6D **10**
Stanley Rd. *B'ley* —7H **5**
Stanley St. *B'ley* —6D **10**
Stanley St. *Cud* —2E **12**
Star La. *B'ley* —6E **10**
Station Cotts. *Dart* —5J **3**
Station Rd. *B'ley* —5D **10**
Station Rd. *Bol D* —6G **25**
Station Rd. *Dart* —5J **3**
Station Rd. *Dod* —1J **19**
Station Rd. *Lund* —2B **12**
Station Rd. *Roy* —1H **5**
Station Rd. *Thurn* —7H **15**
Station Rd. *Womb* —5G **23**
(in two parts)
Station Rd. *Wors* —4J **21**
Station Rd. Ind. Est. *Womb*
—4G **23**
Station Ter. *Roy* —2A **6**
Steadfield Rd. *Hoy* —5H **27**
Stead La. *Hoy* —4H **27**
Steele St. *Hoy* —4G **27**
Steep La. *H'swne* —4H **17**
Steeton Ct. *B'ley* —7E **4**
Stevenson Dri. *Hghm* —3J **9**
Stirling Clo. *Else* —3C **28**
Stocks Hill Clo. *B'ley* —5J **5**
Stock's La. *B'ley* —5C **10**

Stonebridge La. *Gt Hou* —6C **14**
Stone Ct. *S Hien* —1G **7**
Stonecroft Ct. *Silk C* —3D **18**
Stonegarth Clo. *Cud* —1D **12**
Stonehill Clo. *Hoy* —2J **27**
Stonehill Ri. *Cud* —1D **12**
Stonehill Ri. *P'stne* —7E **16**
Stonelea Clo. *Silk* —7D **8**
Stone Leigh. *Tank* —4D **26**
Stoneleigh Cft. *B'ley* —1F **21**
Stone Row Ct. *Tank* —5D **26**
Stone St. *B'ley* —3E **10**
Stonewood Gro. *Hoy* —5A **28**
Stoney Royd. *B'ley* —5F **5**
Stonyford Rd. *Womb* —4H **23**
Stoors Wood Vw. *Cud* —3F **13**
Storey's Clo. *Womb* —5D **22**
Storrs La. *Oxs* —5A **18**
Storrs La. *Wort* —7B **26**
Storrs Mill La. *Cud* —5G **13**
Stotfold Dri. *Thurn* —7G **15**
Stotfold Rd. *Clayt* —4H **15**
Stottercliffe Rd. *Thurls & P'stne*
(in three parts) —5D **16**
Strafford Av. *Else* —3C **28**
Strafford Av. *Wors* —2F **21**
Strafford Gro. *Birdw* —3F **27**
Strafford Ind. Est. *Dod* —3A **20**
Strafford St. *Dart* —6G **3**
Strafford Wlk. *Dod* —2K **19**
Straight La. *Gold* —3J **25**
Strawberry Gdns. *Roy* —2J **5**
Street. —7G 29
Street Balk. *Clayt* —5J **15**
Street La. *W'wth* —7F **29**
Strelley Rd. *B'ley* —6E **4**
Stretton Rd. *B'ley* —2G **11**
Stuart St. *Thurn* —7J **15**
Stubbs Rd. *Womb* —6E **22**
Stump Cross. —7F 29
Stump Cross Gdns. *Bol D* —6F **25**
Sulby Gro. *B'ley* —2K **21**
Summerdale Rd. *Cud* —1C **12**
Summer La. *B'ley* —5C **10**
Summer La. *Roy* —2H **5**
Summer La. *Womb* —5D **22**
Summer Rd. *Roy* —2H **5**
Summer St. *B'ley* —5D **10**
(in two parts)
Sunderland Ter. *B'ley* —7G **11**
Sunningdale Av. *Dart* —5A **4**
Sunningdale Dri. *Cud* —6E **6**
Sunny Bank. *Jump* —2B **28**
Sunny Bank Dri. *Cud* —2D **12**
Sunny Bank Ri. *Else* —3C **28**
Sunny Bank Rd. *Silk* —7D **8**
Sunnybrook Clo. *Hoy* —5A **28**
Sunrise Mnr. *Hoy* —2A **28**
Surrey Clo. *B'ley* —1F **21**
Sutton Av. *B'ley* —6F **5**
Swaithe. —3A 22
Swaithedale. *Wors* —3J **21**
Swaithe Vw. *Wors* —3K **21**
Swale Clo. *Bol D* —6H **25**
Swaledale Dri. *Womb* —5G **23**
Swallow Clo. *Birdw* —1F **27**
Swallow Clo. *Dart* —6H **3**
Swallow Hill. —7A 4
Swallow Hill Rd. *Bar G* —7A **4**
Swallowood Ct. *Bram* —3H **29**
Swanee Rd. *B'ley* —1H **21**
Swangate. *Bram* —2H **29**
Sweyn Cft. *Wors* —3G **21**
Swift St. *B'ley* —4D **10**
Swithen Farm. *Haigh* —3F **3**
Sycamore Av. *Cud* —7D **6**
Sycamore Av. *Grim* —2K **13**
Sycamore Dri. *Roy* —3G **5**
Sycamore La. *H'swne* —2J **17**
Sycamore Rd. *Hems* —1K **7**
Sycamore St. *B'ley* —5C **10**
Sycamore Wlk. *P'stne* —5F **17**

Sycamore Wlk. *Thurn* —7H **15**
Sydney Ter. *B'ley* —7F **11**
Sykes Av. *B'ley* —5D **10**
Sykes St. *King* —1D **20**

Talbot Rd. *P'stne* —4E **16**
Tamar Clo. *Hghm* —4J **9**
Tanfield Clo. *Roy* —2G **5**
Tankersley. —5F 27
Tankersley La. *Hoy* —5F **27**
Tankersley Pk. Golf Course.
—7E **26**
Tank Row. *B'ley* —6K **11**
Tan Pit Clo. *Clayt* —3H **15**
Tan Pit La. *Clayt* —3H **15**
Tan Pit La. *Gold* —5H **25**
Tanyard. *Dod* —2J **19**
Tanyard Cft. *Brie* —3J **7**
Tavy Clo. *Bar G* —2J **9**
Taylor Cres. *Grim* —1K **13**
Taylor Hill. *Caw* —3C **8**
Taylor Row. *B'ley* —7F **11**
Teapot Corner. *Clayt* —3H **15**
Tempest Av. *D'fld* —1J **23**
Temple Way. *B'ley* —4K **11**
Tennyson Clo. *P'stne* —4F **17**
Tennyson Rd. *B'ley* —3H **11**
Tenter Hill. *Thurls* —4C **16**
Tenters Grn. *Wors* —4F **21**
Thicket La. *P'stne* —7G **17**
Thicket La. *Wors* —4J **21**
Thirlmere Rd. *B'ley* —6G **11**
Thomas St. *B'ley* —7F **11**
Thomas St. *D'fld* —3K **23**
Thomas St. *Wors* —3G **21**
Thompson Rd. *Womb* —6F **23**
Thoresby Av. *B'ley* —4J **11**
Thorncliffe Way. *Tank* —4E **26**
Thorne Clo. *B'ley* —7E **4**
Thorne End Rd. *M'well* —4B **4**
Thornely Av. *Dod* —7K **9**
Thornley Cotts. *Dod* —1K **19**
Thornley Sq. *Dod* —1K **19**
Thornley Sq. *Thurn* —7F **15**
Thornley Vs. *Birdw* —2E **26**
Thornton Rd. *B'ley* —1J **21**
Thornton Ter. *B'ley* —1J **21**
Thorntree La. *B'ley* —4D **10**
Thornwell Gro. *Cud* —1C **12**
Three Nooks La. *Cud* —5D **6**
Thruxton Clo. *Cud* —7E **6**
Thurgoland Hall La. *T'land* —7F **19**
Thurlstone. —4C 16
Thurlstone Rd. *P'stne* —5D **16**
Thurnscoe. —7J 15
Thurnscoe Bri. La. *Thurn* —2H **25**
Thurnscoe East. —7J 15
Thurnscoe La. *Gt Hou* —6C **14**
Thurnscoe La. Bus. Pk. *Thurn*
—1J **25**
Thurnscoe Rd. *Bol D* —6G **25**
Timothy Wood Av. *Birdw* —1F **27**
Tingle Bri. Av. *H'fld* —2E **28**
Tingle Bri. Cres. *H'fld* —2E **28**
Tingle Bri. La. *H'fld* —2E **28**
Tingle Clo. *H'fld* —2E **28**
Tinker La. *Hoy* —3G **27**
Tinsley Rd. *Hoy* —2K **27**
Tippit La. *Cud* —2E **12**
Tipsey Ct. *M'well* —5D **4**
Tipsey Hill. *M'well* —5D **4**
Tithe Laithe. *Hoy* —3A **28**
Tivy Dale. —3C 8
Tivy Dale. *Caw* —3C **8**
Tivy Dale Clo. *Caw* —3C **8**
Tivy Dale Dri. *Caw* —3C **8**
Tivydale Dri. *Dart* —7J **3**
Togo Bldgs. *Thurn* —1G **25**
Togo St. *Thurn* —1G **25**
Tollbar Clo. *Oxs* —7K **17**
Tomlinson Rd. *Else* —3B **28**

Topcliffe Rd. *B'ley* —2G **11**
Top Fold. *Ard* —7C **12**
Top La. *Clayt* —3F **15**
Top Row. *Dart* —3J **3**
Tor Clo. *B'ley* —2H **11**
Torver Dri. *Bol D* —7G **25**
Totley Clo. *B'ley* —7H **5**
Tourist Info. Cen. —6F 11
(Barnsley)
Tower St. *B'ley* —1E **20**
Towngate. *M'well* —5B **4**
Towngate. *Silk* —7D **8**
Towngate. *Thurls* —4C **16**
Tranmoor Ct. *Hoy* —4H **27**
Tredis Clo. *B'ley* —4H **11**
Treecrest Ri. *B'ley* —3E **10**
Treelands. *B'ley* —4B **10**
Trelawney Wlk. *Wors* —3F **21**
Trewan Ct. *B'ley* —4H **11**
Troutbeck Clo. *Thurn* —1G **25**
Trowell Way. *B'ley* —6F **5**
Trueman Ter. *B'ley* —5A **12**
Truro Ct. *B'ley* —4H **11**
Tudor St. *Thurn* —7J **15**
Tudor Way. *Wors* —3G **21**
Tumbling La. *B'ley* —1B **12**
Tune St. *B'ley* —7G **11**
Tune St. *Womb* —6E **22**
Turnberry Gro. *Cud* —6E **6**
Turner Av. *Womb* —5D **22**
Turner's Clo. *Jump* —2B **28**
Turner St. *Gt Hou* —6C **14**
Turnesc Gro. *Thurn* —1H **25**
Tuxford Cres. *B'ley* —5K **11**
Twelve Lands Clo. *Tank* —4E **26**
Twibell St. *B'ley* —1A **12**
Two Gates Way. *Shaf* —4E **6**
Tyers Hill. —6F 13

Ullswater Clo. *Bol D* —7G **25**
Ullswater Rd. *B'ley* —7D **12**
Underhill. *Wors* —4H **21**
Underwood Av. *Wors* —2H **21**
Union Ct. *B'ley* —7F **11**
Union St. *B'ley* —7F **11**
Unwin Cres. *P'stne* —6F **17**
Unwin St. *P'stne* —6F **17**
Uplands Av. *Dart* —6G **3**
Up. Cliffe Rd. *Dod* —7J **9**
Upper Cudworth. —5E 6
Up. Field La. *H Hoy* —5A **2**
Upper Folderings. *Dod* —1K **19**
Up. Forest Rd. *B'ley* —6F **5**
Up. High Royds. *Dart* —6A **4**
Upper Hoyland. —2J 27
Up. Hoyland Rd. *Hoy* —1H **27**
Up. Lunns Clo. *Roy* —3A **6**
Up. New St. *B'ley* —7F **11**
Up. Sheffield Rd. *B'ley* —1G **21**
Upper Swithen. —3F 3
Upper Tankersley. —6E 26
Upperwood Rd. *D'fld* —2G **23**
Upton Clo. *Womb* —4D **22**

Vaal St. *B'ley* —7H **11**
Vale Vw. *Oxs* —7K **17**
Valley Pk. Ind. Est. *Womb* —7J **23**
Valley Rd. *M'well* —5A **4**
Valley Rd. *Womb* —4G **23**
Valley Way. *Hoy* —3A **28**
Valley Way. *Womb* —6G **23**
Vancouver Dri. *Bol D* —6F **25**
Vaughan Rd. *B'ley* —4B **10**
Vaughan Ter. *Gt Hou* —5C **14**
Velvet Wood Clo. *B'ley* —4A **10**
Venetian Cres. *D'fld* —2H **23**
Vernon Clo. *B'ley* —1F **21**
Vernon Cres. *Wors* —3F **21**
Vernon Rd. *Wors* —3F **21**
Vernon St. *B'ley* —5F **11**

Vernon St. *Birdw* —3F **27**
Vernon St. *Hoy* —4J **27**
Vernon St. N. *B'ley* —5F **11**
Vernon Way. *B'ley* —4B **10**
Verona Ri. *D'fld* —3J **23**
Vicarage Clo. *Hoy* —3A **28**
Vicarage Farm Ct. *Silk* —7E **8**
Vicarage La. *Roy* —3J **5**
Vicarage Wlk. *P'stne* —5F **17**
Vicar Cres. *D'fld* —3K **23**
Vicar Rd. *D'fld* —3K **23**
Victoria Av. *B'ley* —5E **10**
Victoria Cres. *B'ley* —5D **10**
Victoria Cres. *Birdw* —2E **26**
Victoria Cres. W. *B'ley* —5D **10**
Victoria Jubilee Mus. —3C **8**
Victoria Rd. *B'ley* —5E **10**
Victoria Rd. *Roy* —2K **5**
Victoria Rd. *Womb* —5F **23**
Victoria St. *B'ley* —5E **10**
Victoria St. *Cud* —7D **6**
Victoria St. *D'fld* —2K **23**
Victoria St. *Gold* —3J **25**
Victoria St. *Hoy* —3B **28**
Victoria St. *P'stne* —5F **17**
Victoria St. *S'foot* —7K **11**
Victoria Ter. *B'ley* —7G **11**
Victor Ter. *B'ley* —7G **11**
Viewland Clo. *Cud* —2E **12**
Viewlands. *Silk C* —3E **18**
Viewlands Clo. *P'stne* —3F **17**
View Rd. *Thurls* —4C **16**
Viewtree Clo. *Harl* —7K **27**
Vincent Rd. *B'ley* —4B **12**
Vincent Ter. *Thurn* —1K **25**
Vine Clo. *B'ley* —4C **10**
Violet Farm Ct. *Brie* —4J **7**
Vissitt La. *Hems* —1J **7**
Vizard Rd. *Hoy* —3C **28**

Waddington Rd. *B'ley* —5B **10**
Wade St. *B'ley* —5B **10**
Wager La. *Brie* —3J **7**
Wainscott Clo. *B'ley* —2J **11**
Wainwright Av. *Womb* —5D **22**
Wainwright Pl. *Womb* —5D **22**
Wakefield Rd. *Clayt W* —1A **2**
Wakefield Rd. *M'well & B'ley* —3C **4**
Walbert Av. *Thurn* —1G **25**
Walbrook. *Wors* —4H **21**
Walker Rd. *Tank* —4F **27**
Walkers Ter. *B'ley* —2J **11**
Walk, The. *Birdw* —3E **26**
Wall St. *B'ley* —7E **10**
Walney Fold. *B'ley* —1K **11**
Walnut Clo. *B'ley* —1F **21**
Waltham St. *B'ley* —7F **11**
Walton St. *B'ley* —4C **10**
Walton St. N. *B'ley* —4C **10**
Wansfell Ter. *B'ley* —6G **11**
Ward Clo. *P'stne* —6F **17**
Ward Green. —3F **21**
Ward St. *P'stne* —6F **17**
Wareham Gro. *Dod* —7A **10**
Warner Av. *B'ley* —5B **10**
Warner Pl. *B'ley* —5C **10**
Warner Rd. *B'ley* —5B **10**
Warren Clo. *Roy* —1K **5**
Warren Cres. *B'ley* —1F **21**
Warren La. *Dart & New C* —3B **4**
Warren Pl. *B'ley* —1F **21**
Warren Quarry La. *B'ley* —1F **21**
Warren Vw. *B'ley* —7F **11**
Warren Vw. *Hoy* —5J **27**
Warren Wlk. *Roy* —2J **5**
(Queensway)
Warren Wlk. *Roy* —1K **5**
(Warren Clo.)
Warsop Rd. *B'ley* —5E **4**
Warwick Rd. *B'ley* —4H **11**

Washington Av. *Womb* —6D **22**
Washington Rd. *Gold* —4H **25**
Watchley Gdns. *Gold* —3G **25**
Waterdale Rd. *Wors* —4F **21**
Waterfield Pl. *B'ley* —7A **12**
Water Hall La. *P'stne* —4F **17**
(in two parts)
Waterhall Vw. *P'stne* —4F **17**
Watering La. *Ard* —7E **12**
Watering Pl. Rd. *Thurls* —5C **16**
Water La. *W'wth* —6C **28**
Waterloo Rd. *B'ley* —6D **10**
Watermead. *Bol D* —7H **25**
Water Royd Dri. *Dod* —1K **19**
Waterside Pk. *Womb* —6H **23**
Wath Rd. *Bol D* —7F **25**
Wath Rd. *Else & H'fld* —5D **28**
Wath Rd. *Womb* —6H **23**
Wath W. Ind. Est. *Wath D* —7A **24**
Watnall Rd. *B'ley* —6F **5**
Watson St. *Hoy* —4H **27**
Waveney Dri. *Hghm* —4J **9**
Waycliffe. *B'ley* —4J **11**
Weaver Clo. *B'ley* —4J **11**
Weet Shaw La. *Cud & Shaf* —5C **6**
Weir Clo. *Hoy* —5A **28**
Welbeck St. *B'ley* —5D **10**
(in two parts)
Welfare Rd. *Thurn* —7H **15**
Welfare Vw. *Dod* —7K **9**
Welfare Vw. *Gold* —4H **25**
Welland Ct. *Hghm* —4J **9**
Welland Cres. *Else* —3C **28**
Wellcroft Ho. Roy —3J 5
(off Church St.)
Wellfield Gro. *P'stne* —3F **17**
Wellfield Rd. *B'ley* —4D **10**
Wellgate. *M'well* —5B **4**
Well Hill Gro. *Roy* —2J **5**
Well Ho. La. *P'stne* —3F **17**
(Barnsley Rd.)
Well Ho. La. *P'stne* —2D **16**
(Huddersfield Rd.)
Wellhouse Way. *P'stne* —3F **17**
Wellington Clo. *B'ley* —3H **11**
Wellington Cres. *Wors* —2J **21**
Wellington Pl. *B'ley* —6D **10**
Wellington St. *B'ley* —6E **10**
Wellington St. *Gold* —3J **25**
Well La. *B'ley* —2J **11**
Well La. Ct. *L Hou* —2D **24**
Wells Ct. *M'well* —6C **4**
Wells St. *Cud* —1D **12**
Well's Dart —6J **3**
Well St. *B'ley* —6D **10**
Wendel Gro. *Else* —3D **28**
Wensley Clo. *B'ley* —7E **4**
Wensley Rd. *B'ley* —7E **4**
Wensley St. *Thurn* —7F **15**
Wentworth. —7C **28**
Wentworth Castle. —5K **19**
Wentworth Cres. *M'well* —6D **4**
Wentworth Cres. *P'stne* —5F **17**
Wentworth Dri. *M'well* —6C **4**
Wentworth Ind. Pk. *Tank* —5D **26**
Wentworth Meadows. *P'stne* —4F **17**
Wentworth M. *P'stne* —5F **17**
Wentworth Rd. *Bla H* —7K **21**
Wentworth Rd. *Dart* —6H **3**
Wentworth Rd. *Else* —5C **28**
Wentworth Rd. *Jump* —2C **28**
Wentworth Rd. *M'well* —6C **4**
Wentworth Rd. *P'stne* —4E **16**
(in two parts)
Wentworth St. *B'ley* —4E **10**
Wentworth St. *Birdw* —2E **26**
Wentworth Vw. *Hoy* —4A **28**
(Millhouses St.)
Wentworth Vw. *Hoy* —4J **27**
(Willow Clo.)

Wentworth Vw. *Womb* —7F **23**
Wentworth Way. *Dod* —2K **19**
Wentworth Way. *Tank* —5D **26**
Wescoe Av. *Gt Hou* —6C **14**
Wesley St. *B'ley* —6F **11**
Wessenden Clo. *B'ley* —6A **10**
West Av. *Bol D* —7F **25**
West Av. *Roy* —2K **5**
West Av. *Womb* —5D **22**
Westbourne Gro. *B'ley* —4D **10**
Westbourne Ter. *B'ley* —6C **10**
Westbury Clo. *B'ley* —3B **10**
West Cres. *Oxs* —6J **17**
W. End Av. *Mill G* —5A **5**
W. End Av. *Roy* —3G **5**
W. End Cres. *Roy* —3G **5**
W. End Rd. *Wath D* —2K **29**
Western St. *B'ley* —5D **10**
Western Ter. *Womb* —5E **22**
Westfield. —3J **29**
Westfield Av. *Thurls* —4C **16**
Westfield Cres. *Thurn* —7F **15**
Westfield Cft. *Bram* —2J **29**
Westfield La. *B'ley* —2H **9**
Westfield La. *Thurls* —4B **16**
(in two parts)
Westfield Rd. *Bram & Bram B* —3J **29**
Westfields. *Roy* —2G **5**
Westfields. *Wors* —4G **21**
Westfield St. *B'ley* —6D **10**
Westgate. *B'ley* —6E **10**
Westgate *Bram* —3J **29**
Westgate. *Monk B* —3H **11**
Westgate. *P'stne* —6F **17**
West Green. —1B **12**
West Gro. *Roy* —2G **5**
West Haven. *Cud* —2E **12**
W. Kirk La. *L Hou* —1C **24**
Westmoor Clo. *Gold* —3G **25**
W. Moor La. *B'ley* —6A **10**
W. Moor La. *Bol D & H'ton* —6K **25**
W. Mount Av. *Wath D* —1K **29**
West Pinfold. *Roy* —3J **5**
Westpit Hill. *Bram B* —2J **29**
West Rd. *B'ley* —5B **10**
West St. *D'fld* —3J **23**
West St. *Gold* —2J **25**
West St. *Hoy* —3J **27**
West St. *Roy* —2K **5**
West St. *S Hien* —1G **7**
West St. *Womb* —5E **22**
West St. *Wors* —4G **21**
West Vw. *B'ley* —1E **20**
West Vw. *Cud* —2E **12**
West Vw. *Wors* —4H **21**
W. View Cres. *Gold* —4G **25**
W. View Ter. *Wors* —4H **21**
(off Ashwood Clo.)
Westville Rd. *B'ley* —4D **10**
West Way. *B'ley* —6E **10**
Westwood Country Pk. —7D **26**
Westwood Ct. *B'ley* —5E **10**
Westwood La. *Wort* —5B **26**
Westwood New Rd. *High G & Tank* —7D **26**
Whaley Rd. *B'ley* —2K **9**
Wharfedale Rd. *B'ley* —5B **10**
Wharf St. *B'ley* —4G **11**
Wharncliffe. *Dod* —2A **20**
Wharncliffe Clo. *Hoy* —5K **27**
Wharncliffe Ct. *Tank* —4C **26**
Wharncliffe St. *B'ley* —6D **10**
Wharncliffe St. *Car* —6K **5**
Wheatfield Dri. *Thurn* —1H **25**
Wheatley Clo. *B'ley* —3F **11**
Wheatley Ri. *M'well* —4B **4**
Wheatley Rd. *B'ley* —1A **22**
Whinby Cft. *Dod* —1K **19**
Whinby Rd. *Dod* —1K **19**
Whin Gdns. *Thurn* —6H **15**

Whin La. *Silk* —1B **18**
Whinmoor Clo. *Silk* —6D **8**
Whinmoor Ct. *Silk* —6D **8**
Whinmoor Dri. *Silk* —6D **8**
Whin Moor La. *Silk* —7A **8**
Whinmoor Vw. *Silk* —6D **8**
Whinmoor Way. *Silk* —7D **8**
Whinside Cres. *Thurn* —6G **15**
Whitbourne Clo. *B'ley* —2F **11**
White Cross Av. *Cud* —2D **12**
White Cross Ct. *Cud* —2E **12**
White Cross La. *Wors* —3K **21**
White Cross Mt. *Cud* —2E **12**
White Cross Ri. *Wors* —3K **21**
White Cross Rd. *Cud* —2D **12**
White Hill Av. *B'ley* —6A **10**
White Hill Gro. *B'ley* —6B **10**
White Hill Ter. *B'ley* —6A **10**
Whitewood Clo. *Roy* —4H **5**
Whitworth's Ter. Thurn —7J 15
(off Clarke St.)
Whitworth St. *Gold* —3J **25**
Whyn Vw. *Thurn* —7G **15**
Wigfield Dri. *Wors* —3F **21**
Wigfield Farm. —4E **20**
Wike Rd. *B'ley* —5A **12**
Wilbrook Ri. *B'ley* —3A **10**
Wilby La. *B'ley* —7G **5**
Wilford Rd. *B'ley* —5E **4**
Wilfred Ter. *B'ley* —7E **10**
Wilkinson Rd. *Else* —4C **28**
Wilkinson St. *B'ley* —7F **11**
William St. *Gold* —3G **25**
William St. *Womb* —5E **22**
William St. *Wors* —3G **21**
Willman Rd. *B'ley* —4B **12**
Willow Bank. *B'ley* —2D **10**
(in two parts)
Willow Brook Rd. *Dart* —6A **4**
Willow Clo. *Cud* —7D **6**
Willow Clo. *Hoy* —4J **27**
Willow Ct. *D'fld* —3J **23**
Willowcroft. *Bol D* —7F **25**
Willow Dene Rd. *Grim* —7J **7**
Willow La. *Bol D* —7H **25**
Willow La. *Oxs* —6K **17**
Willow Rd. *Thurn* —6H **15**
Willows, The. *D'fld* —3J **23**
Willows, The. *Oxs* —7K **17**
Willow St. *B'ley* —7D **10**
Wilsden Gro. *B'ley* —4B **10**
Wilson Av. *P'stne* —6F **17**
Wilson Gro. *B'ley* —3A **12**
Wilson St. *Womb* —5D **22**
Wilson Wlk. *Dod* —2A **20**
Wilthorpe. —3D **10**
Wilthorpe Av. *B'ley* —3C **10**
Wilthorpe Cres. *B'ley* —3C **10**
Wilthorpe Farm Rd. *B'ley* —3C **10**
Wilthorpe Grn. *B'ley* —3C **10**
Wilthorpe La. *B'ley* —3B **10**
(in two parts)
Wilthorpe Rd. *B'ley* —3A **10**
Winchester Way. *B'ley* —1C **22**
Windermere Av. *Gold* —4J **25**
Windermere Rd. *B'ley* —6G **11**
Windermere Rd. *P'stne* —4F **17**
Winders Pl. *Womb* —6F **23**
Windham Clo. *B'ley* —4F **11**
Windhill Av. *Dart* —3A **4**
Windhill Cres. *Dart* —3A **4**
Windhill Dri. *Dart* —3A **4**
Windhill La. *Dart* —3A **4**
Windhill Mt. *Dart* —3A **4**
Windings, The. *Thurn* —1K **25**
Windmill Av. *Grim* —6H **7**
Windmill La. *Thurls* —4C **16**
Windmill Rd. *Womb* —6D **22**
Windmill Ter. *Roy* —1H **5**
Windsor Av. *Dart* —6G **3**
Windsor Av. *Thurls* —4C **16**
Windsor Ct. *Thurn* —7J **15**